Le Club des Cinq en péril

Enid Blyton™

Le Club des Cinq en péril

Illustrations
Frédéric Rébéna

hachette JEUNESSE

Claude

11 ans.
Leur cousine. Avec son fidèle chien Dagobert, elle est de toutes les aventures.
En vrai garçon manqué, elle est imbattable dans tous les sports et elle ne pleure jamais… ou presque !

François

12 ans
L'aîné des enfants, le plus raisonnable aussi.
Grâce à son redoutable sens de l'orientation, il peut explorer n'importe quel souterrain sans jamais se perdre !

Mick

11 ans comme Claude.
C'est un casse-cou (un gourmand aussi !) qui n'hésite jamais avant de se lancer dans les plus périlleuses aventures...

Annie

10 ans
La plus jeune, un peu gaffeuse, un peu froussarde !
Mais elle finit toujours par participer aux enquêtes, même quand il faut affronter de dangereux malfaiteurs...

Dagobert

Sans lui, le Club des Cinq ne serait rien !
C'est un compagnon hors pair, qui peut monter la garde et effrayer les bandits.
Mais surtout c'est le plus attachant des chiens...

L'ÉDITION ORIGINALE DE CET OUVRAGE
A PARU EN LANGUE ANGLAISE
CHEZ HODDER & STOUGHTON, LONDRES,
SOUS LE TITRE :

FIVE GET INTO TROUBLE

Traduction revue par Rosalind Elland-Goldsmith.

Hachette Livre, 58, rue Jean Bleuzen, 92178 Vanves Cedex.

chapitre 1

Projets de vacances

— Vraiment, Henri, je ne te comprends pas ! dit tante Cécile à son mari.

Les quatre enfants assis autour de la table du petit déjeuner échangent des regards pleins de curiosité. Qu'a bien pu faire l'oncle Henri ? François adresse un clin d'œil à Mick, et Annie donne à Claude un léger coup de pied sous la table. L'oncle Henri va-t-il se mettre en colère comme cela lui arrive parfois ? Henri Dorsel est le père de Claude et l'oncle de François, Mick et Annie. Il tient dans la main une lettre que sa femme lui a rendue après l'avoir lue. Il fronce les sourcils... mais décide de garder son calme. Il répond d'une voix résignée :

— Voyons, Cécile, comment veux-tu que je me rappelle exactement quand commencent les

vacances de Pâques des enfants, et où ils vont les passer ? Tu sais bien que je suis plongé dans mes recherches scientifiques en ce moment. Je ne peux tout de même pas me souvenir des détails du calendrier scolaire !

— Tu peux au moins te renseigner auprès de moi, réplique tante Cécile, d'un ton agacé. Tu m'avais dit que tu t'arrangerais pour aller faire tes conférences *après* la rentrée !

— Mais je ne pouvais pas deviner que les vacances de Pâques commenceraient si tard ! se défend l'oncle Henri.

— Qu'est-ce qu'il y a, maman ? demande Claude.

— Ton père vient de m'annoncer qu'il doit partir dans deux jours pour donner une série de conférences, répond tante Cécile. Et je suis censée l'accompagner. Je ne peux pas vous laisser seuls dans cette maison vide... Si Maria n'était pas malade, tout irait bien, mais elle ne reviendra que dans une ou deux semaines.

Maria est la gouvernante. Les enfants l'aiment beaucoup...

— On est capables de se débrouiller tout seuls ! affirme Mick. Chacun de nous cuisine très bien.

— Même moi, maman, je pourrais m'y mettre, ajoute Claude.

En fait, elle s'appelle Claudine, c'est un vrai garçon manqué et elle exige qu'on l'appelle Claude... sinon, elle ne répond pas ! Mme Dorsel sourit.

— Ma chérie, la dernière fois que tu as fait un œuf au plat, il était presque calciné ! Je ne suis pas vraiment sûre que tes talents de cuisinière emballeront tes cousins...

— J'avais simplement oublié que l'œuf était en train de cuire, proteste Claude. J'étais allée chercher le sablier et puis, en chemin, je me suis souvenu que Dago n'avait pas eu sa soupe et après...

— Oui, oui, on connaît la suite, l'interrompt sa mère en riant. Dago a eu sa soupe, mais ton père, lui, s'est passé de son œuf !

— Ouah ! fait le chien en entendant son nom.

Il lèche le pied de Claude pour lui rappeler sa présence. Son vrai nom est Dagobert, mais les enfants préfèrent l'appeler Dago.

— Revenons à nos moutons, intervient l'oncle Henri d'un air impatient. Il faut absolument que je participe à ces conférences. Tu n'as pas besoin de m'accompagner, Cécile, si tu préfères rester ici, à t'occuper des enfants.

— Ce n'est pas la peine, reprend Claude. On va en profiter pour réaliser quelque chose qu'on

a prévu depuis longtemps, mais qu'on pensait remettre aux vacances d'été.

— Oh, oui ! s'écrie Annie. Il faut en profiter !

— Moi aussi, ça me plairait bien, dit Mick.

— Mais de quoi parlez-vous ? demande tante Cécile, interloquée.

— Eh bien voilà, commence François. Ça fait un bout de temps qu'on aimerait faire une randonnée à vélo et camper dans la région. Ça nous donnerait l'occasion d'utiliser les deux petites tentes que tu nous as données à Noël...

— Mais je vous les ai offertes pour vous en servir dans le jardin ou sur la plage, répond Mme Dorsel. La dernière fois que vous êtes allés camper, il y avait un adulte avec vous. L'idée de vous voir partir tout seuls à l'aventure ne me plaît pas beaucoup.

— Cécile, je pense que François est assez grand pour s'occuper des autres, intervient l'oncle Henri, d'un ton exaspéré. Laisse-les partir ! Ce sera une bonne expérience pour eux.

— Merci, oncle Henri ! s'écrie François qui n'est pas habitué à recevoir des compliments de M. Dorsel. Je saurai très bien conduire toute cette troupe... sauf Annie qui fait parfois la mauvaise tête !

La fillette ouvre la bouche pour protester,

mais en apercevant le regard taquin de son frère, elle comprend qu'il plaisante. Elle sourit à son tour.

— Je promets d'être très obéissante, dit-elle d'un ton innocent à son oncle.

M. Dorsel paraît surpris.

— Tiens, j'aurais plutôt cru que c'était Claude la moins disciplinée..., commence-t-il.

Mais il se tait en voyant sa femme froncer les sourcils en signe d'avertissement : c'est vrai que Claude a parfois mauvais caractère, mais quand on le lui dit, elle s'énerve encore plus facilement !

— Henri, tu ne vois pas que François te fait marcher ? Enfin, si tu crois vraiment que nous pouvons lui faire confiance pour surveiller les autres...

— Super ! C'est décidé, alors ! s'écrie Claude.

Elle se met à danser autour de la table.

— On part demain ! On...

— Claude ! Inutile de t'exciter comme ça, reprend Mme Dorsel. Tu sais bien que ton père ne supporte pas l'agitation...

Justement, l'oncle Henri se lève pour sortir. Il a horreur que les repas tournent au chahut...

— Tante Cécile, on peut vraiment partir demain ? demande Annie, les yeux brillants. Il

fait tellement beau qu'on n'aura même pas besoin de prendre des vêtements chauds !

— Au contraire : vous ne partirez *que* si vous en prenez, répond fermement Mme Dorsel. Vous connaissez le dicton : « En avril ne te découvre pas d'un fil ! »

— Oh ! Ça va être génial ! s'écrie Mick. On pourra manger ce qu'on voudra, à l'heure qu'on voudra ! Et on choisira tous les soirs un endroit différent pour dresser les tentes ! On pourra même se balader en pleine nuit, si ça nous chante !

Les enfants sont très occupés ce jour-là. Il faut empaqueter les affaires dans les sacs à dos, plier les tentes et les attacher sur le porte-bagages des bicyclettes, chercher dans le réfrigérateur de la maison des provisions pour les premiers jours, emprunter à M. Dorsel une carte de la région... Dago sait bien qu'une randonnée est en vue et il comprend aussi qu'il y participera. Il est aussi excité que François, Claude, Mick et Annie : il aboie, remue la queue, et n'arrête pas de zigzaguer entre leurs jambes. Mais personne ne lui en veut : après tout, il fait lui aussi partie du « Club des Cinq » ! Ce chien sait à peu près tout faire sauf parler, et il est inenvisageable de partir à l'aventure sans lui !

— Tu es sûr que Dago pourra vous suivre quand vous roulerez à vélo ? demande tante Cécile à François.

— Bien sûr, répond le jeune garçon. Il est infatigable, et en plus, c'est un bon chien de garde.

— Oui, je sais. Si je vous laisse partir à peu près rassurée, c'est justement parce que Dago vous accompagne. Pour ce qui est de veiller sur vous, il vaut presque une grande personne.

— Ouah ! Ouah ! approuve le chien.

Claude se met à rire.

— Il vaut *deux* grandes personnes, maman, dit-elle, et Dago bat vigoureusement le plancher de sa queue.

— Ouah ! Ouah ! *Ouah !* renchérit-il, comme pour dire : « Pas deux... mais *trois !* »

chapitre 2

À l'aventure

— Au revoir, tante Cécile ! dit François.

— Au revoir, maman ! Ne t'inquiète pas, on va bien s'amuser ! s'écrie Claude.

Et les quatre enfants s'éloignent sur leurs bicyclettes, pédalant ferme le long du sentier qui mène au portail de la *Villa des Mouettes*. M. et Mme Dorsel restent sur le perron, et agitent la main jusqu'à ce que la petite troupe ait disparu dans un tournant. Le soleil brille. Dago bondit sur ses longues et robustes pattes près du vélo de Claude, fou de joie à l'idée d'une belle randonnée.

— Et voilà, on est en route ! s'exclame Mick au moment où ils prennent le virage. On a vraiment de la chance de pouvoir se balader comme ça, tout seuls ! Décidément, je suis bien content

qu'oncle Henri se soit embrouillé dans les dates des vacances !

— Combien de kilomètres est-ce qu'on va faire aujourd'hui ? demande Annie d'un ton un peu anxieux. Pas trop, j'espère... sinon, j'aurai plein de courbatures demain.

— Tu n'auras qu'à nous faire signe quand tu te sentiras fatiguée. On peut s'arrêter quand on veut, répond François.

La matinée est très douce, et à force de pédaler, les enfants ont bientôt trop chaud. Ils enlèvent leurs blousons et les rangent dans les sacoches de leurs vélos. Claude ressemble plus que jamais à un garçon, avec ses courts cheveux bouclés, soulevés par le vent. Dago galope à son côté, infatigable, la langue au vent. Ils s'arrêtent dans un petit village appelé Le Faouët. Il ne s'y trouve qu'un seul magasin, mais on peut y acheter de tout. Les enfants se procurent une bouteille de limonade. Ils commencent déjà à penser avec plaisir aux sandwichs qu'ils ont pris soin de confectionner et d'empaqueter avant de partir.

— Inutile d'aller plus loin, décrète Mick. Si on déjeunait ?

Quel beau pique-nique que ce premier repas dans la campagne ! Les enfants se sont installés parmi les primevères et les violettes. Une

grive chante sur une branche, et, chaque fois qu'elle s'interrompt, deux pinsons sifflent à leur tour.

— C'est mieux que dans un restaurant ! Il y a même un orchestre ! observe François en désignant les oiseaux de la main.

Puis il reprend en plaisantant :

— On n'a plus qu'à attendre qu'un serveur nous apporte le menu !

Tout à coup, un lapin apparaît, les oreilles dressées.

— Le voilà, notre serveur ! s'esclaffe Mick. Qu'avez-vous à m'offrir, monsieur Jeannot ? Un bon pâté de lapin ?

L'animal détale en un éclair, comme s'il avait compris l'inquiétante plaisanterie de Mick. En fait, il a senti l'odeur de Dago et a été pris de panique. Les enfants se mettent à rire. Dago regarde s'éloigner la petite boule de poils, sans même essayer de la suivre.

— Eh bien, Dago, c'est la première fois que tu laisses partir un lapin sans le pourchasser, remarque Mick. Tu dois être vraiment fatigué... Est-ce que tu as prévu de la nourriture pour lui, Claude ?

— Bien sûr, répond sa cousine. Je lui ai préparé un casse-croûte moi-même !

En effet, elle est allée acheter de la viande

hachée chez le boucher et a confectionné douze sandwichs pour son chien, tous bien coupés et bien emballés. Les enfants se mettent à rire. Claude ne ménage jamais sa peine quand il s'agit de Dago ! Celui-ci avale ses sandwichs en quelques bouchées, puis agite vigoureusement la queue contre le sol couvert de mousse. Les enfants s'assoient et commencent gaiement leur pique-nique ; quelle joie d'être tous ensemble, en plein air, à déguster un si bon repas ! Soudain, Annie pousse un cri.

— Claude, attention ! Tu manges un des sandwichs de Dago !

— Zut ! s'exclame sa cousine. Je me disais bien qu'il était un peu fade. J'ai dû me tromper et lui donner un des miens. Excuse-moi, Dago !

— Ouah ! répond poliment le chien, en acceptant le sandwich entamé.

— Tiens ! dit soudain François, l'orchestre recommence à jouer !

La grive s'est mise à chanter. Elle semble dire : « J'écout'écout'écout'... J'suis tout' ouïe, j'suis tout'ouïe, tout'ouïe ! »

— D'accord, écoute-nous ! s'écrie Mick, en feignant de répondre à l'oiseau.

Puis il pose la tête sur un coussin de mousse, et ajoute :

— Mais pas tout de suite : on va faire un petit somme ! Alors baisse d'un ton !

— Oui, c'est une bonne idée de dormir un peu, acquiesce François. Ça ne sert à rien de s'épuiser dès le premier jour.

Dago se lève, va s'allonger auprès de Claude, et se met à lui lécher la figure. Elle le repousse doucement.

— C'est pas le moment, dit-elle d'une voix ensommeillée. Monte la garde comme un bon chien et veille à ce que personne ne vole nos vélos.

Dago sait très bien ce que signifie « monter la garde ». Alors il se recouche, une oreille à demi dressée et un œil légèrement ouvert. Claude a toujours trouvé fascinante cette façon de dormir d'un seul œil... et d'une seule oreille. Elle se retourne vers ses compagnons, mais elle s'aperçoit qu'ils dorment déjà. À son tour, elle se laisse emporter par le sommeil. Personne ne vient déranger la petite troupe pendant la sieste.

Il est trois heures et demie quand les enfants se réveillent, l'un après l'autre. François regarde sa montre.

— Tiens ! Il est presque l'heure du goûter ! s'écrie-t-il.

— Oh, non ! répond Annie. On vient juste

de déjeuner : je ne pourrais avaler la moindre bouchée.

François se met à rire.

— C'est vrai, moi non plus... Écoutez : on pourrait s'accorder sur nos estomacs au lieu de se régler sur nos montres !

— Bonne idée ! renchérit Claude. On mange quand on a faim, même si ce n'est pas l'heure du repas !

Les autres approuvent eux aussi la suggestion de François. Puis Claude poursuit :

— Et maintenant, je propose qu'on reprenne la randonnée ! Allez, Annie, lève-toi, sinon on part sans toi !

Annie pousse un soupir.

— Oh... J'ai déjà des crampes dans les jambes ! Est-ce qu'on va faire encore beaucoup de route ?

— Non, pas beaucoup, répond Mick. J'ai vu, sur la carte, un petit plan d'eau où on pourrait se baigner. Il suffit juste de le trouver. Qu'est-ce que vous en pensez ?

Tout le monde pense que c'est un très bon projet.

— C'est une idée géniale, ajoute Claude. J'ai toujours eu envie de nager dans un lac !

— Ouah ! fait Dago, qui court près de la bicyclette de sa maîtresse. Ouah, ouah !

— En voilà un qui a l'air d'être tout à fait de mon avis ! sourit Claude en désignant le chien. Mais je ne sais pas s'il a pensé à emporter son maillot de bain !

Tout le monde rit de bon cœur.

chapitre 3

Un beau jour... et une belle nuit

— À mon avis, ce ne sera pas la peine de dresser les tentes ce soir, déclare François en observant le ciel parfaitement clair. Je crois qu'on pourra juste s'enrouler dans les sacs de couchage.

— Ce sera merveilleux ! murmure Annie. J'aime tellement dormir à la belle étoile !

— Si on partait à la découverte du lac, maintenant ? propose Claude. On a tout ce qu'il faut ? Est-ce qu'on doit acheter de quoi dîner ce soir ?

Les sacs sont tous pleins. Personne ne juge nécessaire d'y ajouter d'autres provisions.

— Alors, où se trouve ce lac ? demande François en déployant la carte. Le voilà ! Il n'est pas loin, environ dix kilomètres. Il s'ap-

pelle l'étang Vert, mais ça me paraît bien plus grand qu'un étang...

— Moi, peu m'importe son nom, l'interrompt Claude. Tant qu'on peut s'y baigner : j'ai tellement chaud que je me sens toute sale.

Ils arrivent au lac vers six heures et demie. C'est un endroit ravissant.

— Vous êtes sûrs qu'on a le droit de se baigner ? demande Annie.

— Je ne vois aucune pancarte qui indique que c'est une propriété privée, répond Mick.

— À mon avis, l'eau sera plutôt fraîche, dit François. Mais le soleil a dû la réchauffer.

Les enfants se changent derrière des buissons et se précipitent ensuite vers l'étang Vert. En effet, l'eau est froide. Annie commence à se tremper, mais elle ressort aussitôt.

— Je vais geler si je reste plus longtemps !

Claude et les garçons nagent un bon moment. Ils finissent par émerger de l'eau, ruisselants et joyeux.

— Brrr... C'est vrai que c'est frisquet ! s'écrie Mick en grelottant. Si on faisait un petit footing pour se réchauffer ? Regardez Annie... elle est déjà rhabillée ! Qu'est-ce qu'elle est frileuse ! Et où est Dago ? Lui aussi, il a peur de l'eau froide ?

Ils se mettent tous à courir autour de l'étang

Vert. Annie, de son côté, commence à sortir les provisions pour le dîner.

— Merci, Annie ! s'exclame Mick quand la course est terminée. On dirait que tu nous as préparé un bon repas. Je parie que, si on restait ici plus d'une nuit, tu installerais une vraie petite cuisine sous ces arbres !

— Tu es stupide, Mick, répond Annie. Vous avez bien de la chance que j'aime cuisiner, ça vous évite de préparer vous-mêmes les repas... Oh ! Dago ! Va-t'en ! Regardez, il a aspergé tout le dîner en agitant sa queue trempée ! Tu aurais dû l'essuyer, Claude !

— C'est vrai... approuve Claude avec un sourire amusé. Dago, fais des excuses !

Les enfants et le chien sont fatigués mais heureux. C'est le début de leur randonnée, et tout est déjà merveilleux ! Ils espèrent bien que le soleil les accompagnera tout au long de leur excursion. Ils ne mettent pas longtemps à se glisser dans leurs duvets. Ils sont installés en cercle, ce qui leur permet de continuer à bavarder avant de s'endormir. Dago est ravi. Il marche d'un pas solennel sur tous les sacs de couchage, ce qui lui vaut quelques menaces.

— Dago ! Si tu m'écrases encore une fois, je t'attache à un arbre !

— Aïe ! Tu piétines mon ventre !

— J'espère qu'il ne va pas s'agiter comme ça toute la nuit !

Dago a l'air tout surpris des cris qu'il provoque. Il s'allonge près de Claude, après avoir vainement essayé d'entrer dans son sac de couchage. La fillette détourne la tête pour éviter les coups de langue de son chien.

— Dago, je t'aime beaucoup, mais je voudrais bien que tu ne me lèches pas la figure... Oh ! Regarde cette étoile ! On dirait une petite lampe. Qu'est-ce que c'est ?

— Ce n'est pas vraiment une étoile, c'est Vénus, l'une des planètes du système solaire, répond François d'une voix ensommeillée. Mais on l'appelle l'étoile du Soir. C'est papa qui m'a appris ça.

Claude contemple l'astre qui scintille au-dessus d'elle, puis elle pousse un bâillement tellement sonore que tous les autres l'imitent. Personne ne remue cette nuit-là, pas même Dago. Pourtant, si Claude s'était réveillée et si elle l'avait appelé, il serait aussitôt sorti de son sommeil et serait allé lécher la petite fille pour la réconforter. Claude est pour lui le centre de l'univers, de jour comme de nuit !

Le lendemain, il fait beau et doux. C'est merveilleux de se réveiller sous la chaude caresse

du soleil et d'entendre une grive chanter gaiement.

« C'est peut-être le même oiseau qu'hier », songe Mick, encore à moitié endormi.

François s'assoit et bâille tout en s'extirpant de son sac de couchage. Il adresse un sourire à sa sœur.

— Tu as bien dormi, Annie ? Moi, je me sens en pleine forme, ce matin !

— Et moi, je me sens plutôt courbatue. Mais ça passera. Claude, tu es réveillée ?

Claude pousse un grognement et s'enfonce encore plus profondément dans son duvet. Dago lui donne de petits coups de patte en jappant plaintivement. Il veut qu'elle se lève pour faire une course avec lui.

— Tais-toi, Dago..., gémit Claude des profondeurs de son sac. Je dors !

— Moi, je vais me baigner, annonce Mick. Qui m'accompagne ?

— Pas moi, répond Annie, l'eau va être trop froide. Claude n'a pas l'air prête à faire trempette, non plus. Allez-y tous les deux, les garçons, on va vous préparer un bon petit déjeuner pendant ce temps-là.

François et Mick, pas encore très réveillés, se dirigent vers le lac, tandis qu'Annie sort de son sac de couchage et s'habille rapidement.

Puis, elle décide d'aller jusqu'à l'étang, munie d'un gant de toilette et d'un morceau de savon, pour faire un brin de toilette. Claude, elle, dort toujours. Les deux garçons ont presque atteint le lac. Ils l'aperçoivent à travers les arbres. Son eau scintillante donne vraiment envie d'y piquer une tête. Soudain, Mick et François remarquent une bicyclette posée contre un arbre. Ils l'observent, surpris. Ce n'est pas une des leurs. Puis ils entendent des bruits d'éclaboussure. Quelqu'un patauge dans le lac ! Ils courent jusqu'à la rive, et aperçoivent un garçon qui se baigne. Sa tête blonde, toute mouillée, luit sous le soleil. Il nage vigoureusement, dessinant un long sillage dans l'eau. Tout à coup, il repère François et Mick, et se dirige vers eux.

— Salut ! dit-il en émergeant. Vous venez nager ? Il est joli, hein, mon lac ?

— Comment ça ? C'est vraiment ton lac ? demande François.

— Si ! Enfin, il appartient à mon père, Albert Quentin, répond le jeune garçon.

François et Mick ont déjà entendu parler d'Albert Quentin, c'est l'un des hommes les plus riches du pays. François jette un regard un peu inquiet au jeune inconnu.

— Si c'est un étang privé, on ne s'y baignera plus, promet-il.

— Mais si, venez ! s'écrie le garçon en les éclaboussant d'eau froide. On fait la course jusqu'à l'autre bord ?

Et tous les trois se mettent à nager aussi vite qu'ils peuvent. C'est ce qui s'appelle bien commencer la journée !

chapitre 4

Richard

Annie est tout étonnée de trouver trois garçons, au lieu de deux, quand elle arrive à l'étang Vert. Elle reste plantée là, son gant de toilette et son savon à la main. Les trois nageurs arrivent à l'endroit où se tient la fillette. Elle jette un regard timide en direction du jeune inconnu. Il n'est pas tellement plus âgé qu'elle, et moins grand que ses frères, mais il est robuste et ses yeux bleus, rieurs, lui donnent un air sympathique. Il rejette en arrière ses cheveux ruisselants.

— C'est votre sœur ? demande-t-il à ses compagnons. Bonjour !

— Bonjour, répond Annie en souriant. Comment tu t'appelles ?

— Richard. Richard Quentin. Et toi ?

— Annie Gauthier. On fait une randonnée à vélo.

— Richard est le fils du propriétaire de ce lac, explique François.

— J'espère que... qu'on n'a rien fait de mal en s'installant sur le terrain de ton père..., balbutie Annie en regardant le nouveau camarade de ses frères.

Richard affiche un large sourire.

— Rassure-toi, je n'irai pas chercher les gendarmes ! Vous pouvez utiliser mon lac et mon domaine autant que vous voulez !

— C'est vrai ? Merci ! s'écrie Annie. Ton père a une très belle propriété. Mais on n'a vu aucune pancarte marquée : *Défense d'entrer*, alors on ne pouvait pas savoir... Tu veux prendre le petit déjeuner avec nous ?

La fillette plonge son gant de toilette dans l'eau, et se le passe sur le visage. Puis elle se lave les mains, tandis que les garçons se changent derrière les buissons, sans cesser de bavarder. Puis Annie retourne au campement, où Claude est encore endormie : on voit seulement ses cheveux courts et bouclés dépasser de son sac de couchage bleu vif, et on pourrait vraiment la prendre pour un garçon.

— Claude, réveille-toi ! Quelqu'un vient

petit déjeuner avec nous ! dit Annie en la secouant.

Sa cousine hausse mollement les épaules. Elle est persuadée qu'on lui raconte une blague pour l'obliger à se lever et aider à la préparation du petit déjeuner. Annie n'insiste pas. Elle commence à dépaqueter les provisions et les dispose minutieusement sur une nappe qu'elle a étendue sur le sol. Les trois garçons arrivent. Leurs cheveux humides leur collent aux tempes. Dago vient à la rencontre de l'invité en remuant la queue. Le jeune garçon le caresse, et l'animal, sentant que d'autres chiens doivent vivre près de Richard, le flaire avec beaucoup d'intérêt.

— Il y a quelqu'un qui dort, on dirait..., dit Richard en désignant le sac de couchage bleu.

— C'est Claude, explique Annie. Qui a la flemme de se lever ! Allez, viens, le petit déjeuner est prêt.

Bien qu'à moitié endormie, Claude entend la voix de Richard qui bavarde avec les autres et se redresse d'un coup, surprise. Qui est cet inconnu ? Quand Richard l'aperçoit en train de le scruter, il est certain que la fillette est un garçon. Elle a les cheveux tout courts, et Annie l'a appelée Claude.

— Salut ! dit-il. J'espère que je ne mange pas ta part de petit déjeuner ?

— Qui c'est ? demande Claude.

Les garçons lui racontent ce que Richard leur a expliqué plus tôt.

— J'habite à un kilomètre d'ici, dit le jeune convive, et je suis venu ce matin, à bicyclette, pour me baigner. À propos, ça me rappelle que je ferais mieux de rapprocher mon vélo d'ici. On m'en a déjà volé deux pendant que je ne faisais pas attention.

Il retourne vers le lac. Claude en profite pour sortir du sac de couchage et s'habiller rapidement. Elle est prête avant le retour de Richard.

— Ma bicyclette était là où je l'avais laissée ! dit-il. Je n'aurais pas voulu avouer encore une fois à mon père qu'elle avait disparu comme les deux autres. Il se met facilement en colère !

— Mon père aussi, intervient Claude. Il est très sévère.

— Le mien n'est pas seulement sévère, il devient vraiment furieux quand quelqu'un lui joue un mauvais tour. En plus il a une mémoire d'éléphant : il n'oublie jamais, ajoute Richard. Il a eu beaucoup d'ennemis au cours de sa vie. Il a même été menacé de mort, et depuis, il a un garde du corps.

— Comment il est, son garde du corps ? demande Annie d'un ton plein de curiosité.

— Oh ! Il en a eu plusieurs. Mais ce sont tous des costauds... Ils ont l'air de vrais durs à cuire ! répond Richard, ravi de l'intérêt qu'il suscite chez ses compagnons. Celui que mon père avait l'année dernière était terrible : il avait une bouche très épaisse et un nez aussi large que celui d'un boxer !

— Eh bien ! s'exclame Annie. Il devait être affreux. Il travaille toujours pour ton père ?

— Non. Il a volé de l'argent à la maison et, après une dispute terrible, il a été mis à la porte. J'étais bien content. Je le détestais. En plus, il donnait des coups de pied aux chiens.

— Quelle brute ! s'exclame Claude, horrifiée.

Elle entoure Dago de son bras, comme si elle craignait que quelqu'un ne le frappe lui aussi. François et Mick se demandent s'il faut croire tout ce que raconte Richard. Ils en arrivent à la conclusion qu'il exagère sans doute un peu et l'écoutent, amusés.

— Où est ton père maintenant ? demande Annie.

— Cette semaine, il est en Amérique, mais il va bientôt rentrer... avec son nouveau garde du corps, répond Richard en finissant la bou-

teille de limonade. Que c'est bon ! Vous en avez de la chance de pouvoir partir comme ça sur vos vélos, et camper où vous voulez. Ma mère ne me le permettrait jamais – elle a toujours peur qu'il m'arrive quelque chose.

— Tu devrais peut-être avoir un garde du corps, toi aussi ! dit François ironiquement.

— Je lui fausserais vite compagnie, réplique Richard. En fait, j'ai une sorte de garde du corps.

— Qui c'est ? questionne Annie en regardant craintivement autour d'elle comme si elle s'attendait à voir apparaître un homme armé jusqu'aux dents.

— Il est censé me surveiller pendant les vacances, explique Richard, qui caresse les oreilles de Dago. Il s'appelle Lomais et il n'est pas très sympathique. Il veut que je le prévienne chaque fois que je sors... comme si j'avais ton âge, Annie !

La fillette répond d'un ton indigné :

— Mais je n'ai besoin de prévenir personne quand je vais me promener toute seule !

— En fait, je crois qu'aucun de nous n'aurait eu la permission de partir comme ça, si Dago ne nous accompagnait pas, précise Mick.

— Et si on décidait ce qu'on va faire aujour-

d'hui, intervient François, pour couper court à la discussion.

Bientôt, six têtes – y compris celle de Dago – se penchent sur la carte. François propose :

— Si on allait au bois de Guimillau ? Regardez, il est marqué là. Ça pourrait faire une belle promenade !

Mais ce n'est pas seulement une belle promenade qui les attend. C'est bien plus que cela...

chapitre 5

Six au lieu de cinq

— J'ai une tante qui habite dans la direction de ce bois, dit Richard quand ils ont tout rangé, regroupé les détritus dans un sac à part, et vérifié que les pneus des bicyclettes étaient en bon état. Si ma mère m'autorise à vous accompagner, est-ce que vous me laisserez venir avec vous ? Comme ça, je pourrais rendre visite à ma tante en chemin.

François et Mick se lancent des regards dubitatifs.

— Eh bien... d'accord, si ça ne prend pas trop de temps, répond l'aîné.

— Je vais tout de suite aller voir maman, dit Richard avec enthousiasme.

Il court vers sa bicyclette.

— Je vous retrouverai dans une demi-heure

au carrefour des Trois-Arbres, c'est inscrit sur la carte.

— Bon, dit Mick. Mais on ne t'y attendra pas plus d'un quart d'heure. Si tu ne viens pas, on saura que tu n'as pas obtenu la permission.

Richard s'éloigne sur sa bicyclette en pédalant vigoureusement. Annie commence à installer les sacoches, avec l'aide de Claude. Dago fourre son museau partout, cherchant des miettes échappées du sac à ordures.

— Dago ! C'est dégoûtant ! s'exclame Annie en riant. Tu mets ta truffe dans la poubelle ! À croire que tu es affamé ! Et pourtant tu as mangé bien plus que moi au petit déjeuner. Si tu continues à te faufiler entre mes jambes, je t'attache !

Un quart d'heure plus tard, ils sont tous prêts à partir. Ils savent déjà où s'arrêter pour acheter de quoi déjeuner. Le trajet jusqu'au bois de Guimillau est plus long que celui de la veille, mais les enfants se sentent capables de faire ces quelques kilomètres supplémentaires. Leur chien aussi a hâte de se mettre en route.

— Ça fera du bien à ta ligne, dit François à Dago. Tu sais, on n'aime pas les chiens grassouillets. Ils soufflent comme des phoques !

— François ! Dago n'a *jamais* été grassouillet ! s'écrie Claude, révoltée.

Mais elle se tait en apercevant le sourire taquin de son cousin. Il plaisante, comme d'habitude. Elle lui donne un coup de coude amical. Les enfants remontent sur leurs bicyclettes. Dago, ravi, court devant eux. Ils suivent un petit sentier, évitant les ornières, et débouchent sur une route.

— Et maintenant, attention à ne pas manquer le carrefour des Trois-Arbres ! dit Annie. Il ne doit pas être loin, d'après la carte... Claude, arrête de ralentir aussi brutalement, je vais finir par te rentrer dedans !

— Je sais bien, répond sa cousine d'un ton irrité. C'est la faute de Dago qui n'arrête pas de passer juste devant ma roue. Avance droit, Dago ! Et ne t'éloigne pas de nous, espèce d'âne !

Vexé d'être qualifié ainsi, le chien accepte, à contrecœur, de courir docilement aux côtés de sa maîtresse. Les jeunes cyclistes arrivent au carrefour des Trois-Arbres plus tôt que prévu. Richard se trouve déjà devant le panneau, assis sur sa bicyclette. Il est radieux.

— Tu as fait vite, remarque François. Qu'est-ce que ta mère a dit ?

— Elle a été tout de suite d'accord en apprenant que j'étais avec vous, répond Richard. Je pourrai passer la nuit chez ma tante.

— Tu as pensé à emporter un pyjama ? demande Mick.

— J'en ai toujours un en réserve là-bas, explique Richard. C'est super ! Je vais pouvoir me promener toute la journée avec vous, sans M. Lomais pour m'ordonner de faire ci ou ça ! Allons-y !

La petite troupe repart.

À onze heures, les enfants s'arrêtent dans un village. Richard, qui semble avoir de l'argent plein les poches, insiste pour offrir des glaces à tous ses compagnons, y compris Dago. Ils font leurs provisions pour le déjeuner chez les petits commerçants de la place centrale : du pain frais, du beurre, du fromage blanc. Richard achète un superbe gâteau au chocolat qu'il a vu dans la vitrine d'une pâtisserie.

— Eh bien ! Ça a dû te coûter une fortune ! s'exclame Annie.

Ils se remettent en chemin, s'enfonçant cette fois en pleine campagne, où les villages sont rares et isolés. On voit une ferme çà et là, à flanc de colline, entourée de vaches et de moutons.

— C'est magnifique ! dit Richard. Mais vous êtes sûrs que Dago n'est pas fatigué ? Il tire la langue.

— Oui, et d'ailleurs, moi aussi je commence à faiblir... Vous ne pensez pas qu'il est temps de s'arrêter pour déjeuner ? demande François en regardant sa montre. On a fait une bonne course, ce matin ; le fait que la route soit plate a facilité les choses : cet après-midi, on roulera probablement moins vite, parce qu'on commencera à aborder les collines.

Ils trouvent un endroit pour pique-niquer, près d'une haie bordant un champ d'où l'on peut voir une petite vallée. Des moutons et des agneaux paissent tout autour.

— Est-ce qu'on est près de la maison de ta tante ? demande Claude à Richard lorsqu'ils remontent sur leurs bicyclettes, deux heures plus tard.

— Si on approche de Saint-Guernaz, on n'en est pas loin, dit Richard qui roule sans tenir le guidon et manque de tomber dans le fossé.

François essaie de se souvenir de la carte.

— On devrait être à Saint-Guernaz vers la fin de l'après-midi. On te laissera goûter chez ta tante, si tu veux.

— Non, merci, réplique vivement Richard. Je préférerais goûter avec vous. J'aimerais tellement pouvoir vous accompagner jusqu'au bout. Peut-être que si vous demandiez à maman

pour moi, vous la persuaderiez de me laisser faire toute la randonnée...

Les enfants se lancent des regards embarrassés.

— Je ne pense pas que ce soit une bonne idée, répond finalement François. Tu peux goûter avec nous si tu veux, mais, après, on te laissera chez ta tante, comme convenu.

Ils arrivent à Saint-Guernaz un peu après cinq heures. C'est un tout petit village où se trouve néanmoins une auberge dont la pancarte annonce : *Gâteaux faits maison*. La patronne est une femme ronde et bienveillante qui aime beaucoup les enfants. Elle leur offre trois grandes assiettes de tartines beurrées et un large choix de confitures qu'elle a également faites elle-même : il y en a aux fraises, aux prunes et aux groseilles. La dame apporte en plus des petits sablés à la cannelle et de délicieuses galettes de sarrasin. Elle connaît très bien Richard.

— Je suppose que tu vas passer la nuit chez ta tante ? demande-t-elle à Richard, qui se contente de hocher la tête car il a la bouche pleine de galette.

Annie a l'impression qu'elle ne pourra pas dîner ce soir, et même Dago semble rassasié. Les enfants se décident à repartir. Ils remercient

l'aimable aubergiste tout en enfourchant leurs bicyclettes.

— Richard, on va chez ta tante, maintenant ? interroge Mick. Tu sais retrouver la maison ?

— Oui... elle est là-bas, répond le jeune garçon en désignant un portail en bois. Eh bien, merci à tous les quatre de votre compagnie. J'espère que je vous reverrai bientôt. Salut !

Il pédale le long de l'allée et disparaît.

— Il exagère un peu, non ? Il nous a à peine dit au revoir ! s'indigne Claude. Il est quand même bizarre, ce garçon, vous ne trouvez pas ?

chapitre 6

Des événements inquiétants

En effet, les enfants s'étonnent tous que Richard ait disparu après un au revoir si bref. Après s'être, pendant quelques instants, interrogés sur le comportement de leur nouvel ami, ils reprennent la route. Ils arrivent au bois de Guimillau et s'installent, pour la nuit, dans un endroit très agréable. C'est un petit vallon recouvert de pâquerettes et de boutons d'or.

— C'est ravissant ici, dit Annie. On doit être à des dizaines de kilomètres de la ville. J'espère quand même qu'on trouvera une ferme où acheter quelque chose à manger. Pour l'instant, je n'ai pas faim, mais je sais que ça viendra !

— Zut ! Je crois que mon pneu est crevé ! s'exclame Mick en jetant un regard à sa roue arrière. Heureusement, ça n'a pas l'air trop

grave. Mais il vaut mieux que je le répare tout de suite.

— Dans ce cas, répartissons-nous les rôles, suggère François. Annie, si tu es fatiguée, tu n'as qu'à rester ici avec Mick. Claude et moi, on va chercher une ferme. On ne prendra pas les vélos : ce sera plus facile de traverser le bois à pied. On en a pour une heure ou deux, mais ne vous inquiétez pas, Dago retrouvera le chemin du retour.

François et Claude s'éloignent donc. Le chien les accompagne ; lui aussi est fatigué mais rien ne l'aurait fait rester avec Mick et Annie : partout où va sa petite Claude, il s'y rend aussi !

Mick a détecté ce qui a provoqué la crevaison : un petit clou, planté dans le pneu arrière de son vélo. Annie s'assoit près de lui. Elle est contente de se reposer un peu et se demande combien de temps vont mettre les autres pour trouver une ferme. Son frère s'absorbe dans la réparation de sa bicyclette. Ils sont là depuis une demi-heure lorsqu'ils entendent du bruit. Mick relève la tête et écoute.

— Tu n'entends pas quelqu'un crier ? demande-t-il à sa sœur.

Elle incline la tête.

— Mais oui ! Qu'est-ce qui peut bien se passer ?

De nouveau, ils tendent l'oreille. Et ils perçoivent distinctement des appels.

— Au secours ! François ! Claude ! Mick ! Annie ! Au secours !

Les deux enfants bondissent sur leurs pieds.

— Ça ne peut être que Richard ! s'écrie Mick, stupéfait. Mais qu'est-ce qui lui arrive ?

Annie est devenue toute pâle.

— Est-ce qu'il faut qu'on aille à sa rencontre ? demande-t-elle.

Ils entendent un craquement, comme si quelqu'un se frayait un chemin à travers les branches. La nuit a commencé à tomber, et, sous les arbres, Annie et Mick ne voient d'abord rien. Mick crie de toutes ses forces :

— C'est toi, Richard ? On est ici !

Les craquements se font plus forts.

— J'arrive ! hurle Richard. J'arrive ! Attendez-moi !

Annie et son frère s'arrêtent. Bientôt Richard apparaît, essoufflé de sa course folle à travers la forêt.

— Par ici ! appelle Mick. Qu'est-ce qu'il y a ?

Richard accourt à toutes jambes. Il a l'air épouvanté.

— Ils sont à mes trousses, halète-t-il en se tenant les côtes. Il faut que vous me sauviez. Il faut que Dago leur saute dessus...

— Mais de qui tu parles ? Qui te court après ?

— Où est Dago ? Où sont François et Claude ? demande soudain Richard d'un ton désespéré.

— Ils sont allés chercher une ferme pour y acheter des provisions, répond Mick. Ils ne vont pas tarder à revenir. Mais qu'est-ce que tu as ? Tu en fais une tête !

Le garçon ne répond pas à la question.

— *Ils* vont m'attraper ! Où sont François et Claude ? Je veux que Dago me protège. Je ne peux pas rester ici !

— Ils sont partis par là, explique Mick, en montrant le chemin. Tu peux même voir les traces de leurs pas... Mais...

Richard a déjà filé ! Il fonce à toute allure le long du sentier, en hurlant :

— François ! Dago ! Claude !

Annie et Mick se regardent, ébahis. Qu'est-il arrivé à leur camarade ? Pourquoi n'est-il pas chez sa tante ?

— Inutile de lui courir après, dit Mick. On risque de se perdre. Mais je me demande bien ce qui prend à Richard...

— Il a dit que des gens étaient à ses trousses.

— Moi, je crois qu'il est un peu fou... Je ne suis même pas sûr qu'il trouve Claude et François.

— Je vais grimper à cet arbre pour voir si je les aperçois, décide Annie. Termine vite de réparer ton pneu.

Il fait maintenant nuit noire. Mick vient tout juste de terminer lorsqu'il distingue une nouvelle fois des pas qui viennent des bois. Est-ce encore cet idiot de Richard ? Le bruit se rapproche. Ce ne sont plus des craquements, mais des froissements assourdis, comme si quelqu'un s'avançait tout doucement. Mick se sent mal à l'aise. Qui s'approche ? S'agit-il d'un animal ? Le garçon reste aux aguets. Le silence retombe. Plus un bruit. A-t-il rêvé ? Mick se dit que son imagination a dû lui jouer un tour. Il s'apprête à appeler Annie pour lui raconter ce qui vient de lui arriver, mais le bruit se fait entendre de nouveau. Cette fois, c'est sûr, quelqu'un approche. Un jet de lumière filtre soudain à travers les arbres et tombe sur Mick qui cligne les yeux.

— Ah ! Te voilà enfin, petit misérable ! s'écrie une voix rauque.

Un homme apparaît à l'orée du vallon. Un autre le suit.

— Qu'est-ce que vous voulez dire ? demande Mick, stupéfait.

Il ne peut pas distinguer le visage des deux hommes, car il est aveuglé par la lumière de leur lampe électrique.

— Ça fait une heure qu'on te court après ! Tu croyais que tu allais nous échapper, hein ? Mais on t'a eu, cette fois !

— Je ne comprends pas, reprend le jeune garçon, essayant de garder une voix calme. Je ne vous connais pas !

— Tu sais très bien qui nous sommes, répond la voix. Tu as filé à toute allure quand tu as aperçu Julot, tout à l'heure ! Il est parti à ta recherche de son côté, et nous, on est partis du nôtre. Maintenant, tu vas venir avec nous, mon petit gars !

Mick ne comprend qu'une chose : Richard ne mentait pas quand il disait qu'il était traqué. Ces hommes sont à ses trousses ! Mais, apparemment, ils ne connaissent pas le visage de leur proie, car ils n'ont pas l'air de s'apercevoir qu'ils ont mis la main sur la mauvaise personne !

— Je ne suis pas le garçon que vous cherchez ! crie Mick.

— Allez, n'essaie pas de nous raconter des histoires ! gronde l'un des deux hommes. Tu es Richard... Richard Quentin.

— C'est une erreur ! Je ne suis pas Richard Quentin ! tente d'expliquer Mick, sentant la main de l'inconnu s'abattre sur son épaule.

— Arrête de crier, maintenant, sinon tu vas le regretter. Quand on sera à l'auberge de la Chouette, on s'occupera de toi sérieusement !

Pendant ce temps, Annie est restée perchée en haut de son arbre. Elle ne peut ni bouger ni parler. Elle essaie de crier au secours, mais sa langue semble collée à son palais. Elle voit son frère emmené par les deux inconnus et manque de dégringoler en l'entendant hurler et protester tandis qu'il est entraîné de force dans la profondeur des bois. La fillette se met à pleurer, sans oser descendre. Elle tremble tellement qu'elle a peur de perdre l'équilibre. Il faut attendre le retour de Claude et de François. Mais s'ils ne reviennent pas ? S'ils ont été faits prisonniers, eux aussi ? Elle restera toute seule sur son arbre, toute la nuit ! Les larmes d'Annie se transforment en sanglots. Elle se cramponne à une grosse branche... Et, enfin, elle entend un bruit de pas et de voix.

« Oh ! Pourvu que ce soient François, Claude et Dago ! Pourvu que ce soient eux ! »

chapitre 7

L'étrange récit de Richard

Pendant ce temps, François et Claude ont réussi à découvrir une petite ferme nichée dans un vallon. Trois chiens aboient férocement en entendant approcher les enfants. Une voix d'homme crie :

— Allez-vous-en ! On ne veut pas d'étrangers ici.

— Bonsoir, dit poliment François. Nous sommes quatre enfants qui campons dans les bois. Pourriez-vous nous vendre quelques provisions ?

Il y a un silence. L'homme se retire de la fenêtre d'où il avait lancé ces paroles désobligeantes et semble parler à quelqu'un à l'intérieur de la pièce. Il reparaît au bout d'un instant.

— Je vous l'ai dit, on ne veut pas d'étran-

gers ici ! On n'a que du pain et du beurre, des œufs, du lait et un peu de jambon. C'est tout !

— Ça nous conviendra très bien ! répond François gaiement. Est-ce que je peux entrer ?

— Oui, si tu veux que les chiens te dévorent ! Ce sont des bergers allemands et je peux te garantir qu'ils sont très féroces ! Attends ici. Le temps de vous faire les œufs durs et je vous apporterai le tout.

— J'espère qu'il ne va pas tarder à nous apporter les provisions, murmure Claude, d'un ton impatient. Il n'a pas l'air commode. En plus, la nuit tombe et je commence à avoir faim.

Enfin quelqu'un sort de la vieille ferme. C'est un homme assez âgé, avec une grosse barbe et des cheveux longs, mal peignés. Il est voûté et boite fortement. Son visage a une expression méchante. François et Claude le trouvent très antipathique.

— Voilà, grogne le vieillard, en faisant signe à ses bergers allemands de reculer.

François est anxieux de s'en aller avant que Dago et les trois molosses ne commencent à batailler.

— Claude, chuchote-t-il à l'oreille de sa cousine, retiens Dago. Il excite les chiens.

— Pas du tout ! s'exclame Claude. C'est eux qui l'excitent !

Elle tire néanmoins Dago quelques mètres en arrière, mais celui-ci ne cesse de grogner, montrant les crocs en signe de menace. François prend les provisions, sommairement enveloppées dans du papier journal.

— Merci, monsieur. Combien est-ce qu'on vous doit ?

L'homme annonce un prix que François juge très élevé, mais les deux enfants finissent par payer, de peur que le vieillard ne lâche ses chiens sur eux ou sur Dago.

— Et maintenant, décampez ! ordonne le fermier d'un ton sec.

— Eh bien, vous pouvez être sûr qu'on ne reviendra jamais chez vous ! s'écrie Claude, furieuse.

Les deux cousins reprennent le chemin du bois, Dago en tête. Ils sont bien contents d'avoir ce fidèle compagnon avec eux : sans lui, ils se seraient probablement égarés. Heureusement, un chien retrouve toujours son chemin : Dago court en avant, reniflant le sol de temps à autre en attendant que les enfants le rattrapent. Soudain, il s'immobilise et se met à gronder. Claude pose la main sur son collier. Quelqu'un

doit être tout proche. Claude et François entendent crier leurs noms et s'arrêtent.

— François ! Claude ! Où est Dago ? Je veux Dago ! *Ils* sont après moi, je vous dis ! *Ils* sont après moi !

— Mais, c'est Richard ! s'exclame François, sidéré. Qu'est-ce qu'il peut bien faire là ? Et pourquoi est-ce qu'il crie comme ça ? Viens, Claude, il a dû se passer quelque chose. J'espère qu'il n'est rien arrivé à Mick et à Annie.

Ils se précipitent le long du sentier. Bientôt ils tombent sur Richard qui a cessé d'appeler et avance d'un pas incertain en sanglotant.

— Richard ! Qu'est-ce qui ne va pas ? le presse François en l'apercevant.

Le garçon court vers les deux cousins.

— François, Claude, j'ai peur ! crie Richard, hors d'haleine.

— Calme-toi, dit François, qui essaie de rester serein. Je suis sûr que tu fais des histoires pour rien. Qu'est-ce qu'il y a ? Pourquoi est-ce que tu n'es pas chez ta tante ?

— Ma tante n'est pas chez elle, dit Richard, s'exprimant d'une voix plus calme. Elle...

— Comment ça, elle n'est pas là ? s'exclame Claude, étonnée. Pourtant, tu nous as dit que ta mère t'avait donné la permission d'aller lui rendre visite.

— En fait, je n'ai pas demandé la permission à ma mère, avoue Richard d'un ton soudainement très assuré. Je ne suis même pas retourné chez moi, j'ai pédalé directement jusqu'au carrefour des Trois-Arbres et je vous y ai attendus. Je voulais venir avec vous, tu comprends, et je savais bien que maman ne m'y autoriserait pas.

Il a prononcé ces paroles d'un air plein de défi. François est dégoûté.

— Alors comme ça tu nous a menti..., marmonne-t-il.

— Oui, mais je ne savais pas que ma tante serait absente de chez elle, ajoute Richard d'un ton beaucoup plus humble en entendant la voix méprisante de son camarade. Je pensais qu'elle serait là... Je lui aurais demandé de téléphoner à maman pour lui dire que j'étais parti avec vous. Mais ensuite j'ai pensé que ce serait plus simple de vous rejoindre à bicyclette...

— Et tu nous aurais raconté que tu avais la permission de ta tante de faire toute la randonnée, termine Claude. Eh bien, bravo !

— Moi, ce que je voudrais savoir, intervient François, c'est pourquoi tu courais en criant comme un fou ?

— Oh ! Ça, c'était horrible ! s'écrie Richard, en pâlissant. J'allais reprendre le chemin devant

la maison de ma tante pour aller au bois de Guimillau quand j'ai croisé une voiture. Et j'ai vu qui était dedans !

— Alors ? demande Claude, d'un ton irrité.

— Julot ! déclare Richard d'une voix tremblante. Avec deux autres hommes que je n'ai jamais vus avant.

— Qui est ce Julot ? demande François.

Claude a un geste d'impatience. Richard est vraiment incapable de raconter une histoire avec clarté !

— Tu ne te rappelles pas ? Je t'ai parlé de lui. C'est l'homme aux lèvres épaisses que mon père avait employé l'année dernière comme garde du corps et qu'il a mis à la porte. Julot a toujours juré de se venger de nous : c'est moi qui ai raconté à papa qu'il lui volait de l'argent en cachette, et c'est à cause de ça qu'il a été renvoyé. Alors, quand je l'ai aperçu dans la voiture, j'ai été pris de panique !

— Je vois, dit François. Et qu'est-ce qui s'est passé après ?

— Julot m'a reconnu et m'a pourchassé en voiture, reprend Richard, qui se remet à trembler en repensant à cette terrible poursuite. J'ai pédalé comme un fou... et, quand je suis arrivé aux bois de Guimillau, j'ai pris le sentier, là-bas, en espérant que la voiture ne pourrait

pas m'y suivre. C'était trop étroit, mais les hommes ont continué à pied ; ils sont trois – dont deux que je ne connais pas. J'ai pédalé et pédalé, et puis j'ai pris la tangente derrière un arbre. Alors j'ai poussé mon vélo dans un buisson et je me suis caché, à mon tour, dans les fourrés.

— Et ensuite ? demande Claude.

— Ils se sont séparés : Julot est allé de son côté et les deux autres du leur. J'ai attendu qu'ils se soient tous éloignés et puis je suis sorti de ma cachette. J'ai couru le long du sentier dans l'espoir de vous retrouver. Surtout Dago, tu comprends. Je pensais qu'il ferait peur à ces sales types. Je ne les avais jamais vus avant ce soir : ce sont certainement de nouveaux complices de Julot, et ils doivent être aussi redoutables que lui.

Le chien pousse un grognement sonore. Un peu, qu'il leur aurait fait peur !

— Les deux hommes ont dû se cacher pour attendre que je quitte les fourrés, poursuit Richard, parce que, dès que j'en suis sorti, ils ont recommencé à me pourchasser. Mais j'ai quand même réussi à les semer. Finalement, je suis tombé sur Mick. Il réparait un pneu. Mais vous deux, vous n'étiez pas là. Je savais qu'ils finiraient par me rattraper, alors j'ai continué à

courir et, enfin, je vous ai trouvés ! Je n'ai jamais été aussi soulagé de ma vie ! Avec Dago, je sais que je suis à l'abri.

C'est une histoire incroyable, mais François ne pense qu'à une chose : que sont devenus Annie et Mick ? Est-ce qu'ils ont croisé les hommes qui recherchent Richard ? Est-ce qu'il leur est arrivé quelque chose ? Le jeune garçon lance un regard inquiet à Claude, et comprend qu'elle a les mêmes craintes que lui.

— Vite, dit-il à sa cousine, il faut aller retrouver les autres ! Dépêchons-nous !

chapitre 8

Que faire ?

Courant péniblement à travers le bois sombre, François et Claude se hâtent autant qu'ils le peuvent. Dago galope, lui aussi, comprenant que quelque chose inquiète ses amis. Richard suit la petite troupe en pleurnichant. Il a vraiment eu très peur.

Ils arrivent enfin à la clairière où ils avaient projeté de passer la nuit. Il fait très sombre. François appelle d'une voix claire :

— Mick ! Annie ! Vous êtes où ?

Claude, qui a emporté son sac à dos avec elle, sort une lampe électrique et promène le rayon lumineux tout autour de la clairière... Elle aperçoit le vélo au pneu crevé, et la trousse à outils posée à terre... mais ni Mick ni Annie ne sont là !

— Annie ! hurle François, de plus en plus angoissé. Mick !

Alors, une petite voix tremblante se fait entendre au-dessus d'eux.

— François ! Je suis là !

— J'entends Annie ! s'écrie le garçon, subitement soulagé. Annie, où es-tu ? Je ne te vois pas !

— Tout en haut de l'arbre ! répond la fillette d'une voix mieux assurée. Oh ! François, j'ai eu tellement peur, je n'osais même pas descendre ! Mick est...

— Où est-il ? l'interrompt son frère.

Il entend un sanglot.

— Deux hommes sont venus... et ils l'ont emmené. Ils l'ont pris pour Richard !

La voix d'Annie se brise. François songe qu'il faut d'abord la faire descendre de sa cachette et la réconforter. Il dit à Claude :

— Braque ta lampe vers le sommet de l'arbre. Je vais grimper là-haut.

Claude obéit sans dire un mot. Elle est aussi bouleversée que ses deux cousins. François grimpe comme un chat. Il arrive jusqu'à Annie qui se cramponne toujours à sa branche.

— Annie, je vais t'aider à descendre. Viens... N'aie pas peur, je suis juste au-dessous de toi, je vais te guider.

La fillette tremble de froid et elle est encore choquée. Elle descend lentement, avec le soutien de son frère jusqu'à ce qu'elle pose pied à terre. Claude se précipite vers sa cousine frigorifiée et la prend dans ses bras.

— Tout va bien, Annie, on est là... avec notre brave Dago.

— Et qui est avec vous ? demande Annie d'un air inquiet en apercevant soudain l'ombre de Richard, qui est resté caché derrière un bosquet.

— C'est Richard. Tout ce qui nous arrive est de sa faute, ajoute François d'un ton sévère. C'est à cause de lui et de ses mensonges si on a des problèmes. Et maintenant, Annie, racontenous tout, sans rien oublier, au sujet de Mick et de ces deux hommes.

Annie commence son récit, en prenant soin de ne rien omettre. Dago ne la quitte pas des yeux et lui lèche la main sans arrêt, ce qui est très réconfortant.

— Tout est clair, dit François, lorsque sa sœur a terminé de relater le terrible enlèvement de Mick. Ce gars, ce Julot, a reconnu Richard, et lui et ses complices se sont mis à le pourchasser pour l'enlever et se venger de son père.

Il se retourne vers Richard :

— Tu as bien dit que Julot et ses hommes s'étaient séparés pour te rechercher ?

— Oui. Julot est parti dans le mauvais sens, mais les deux autres se sont cachés et m'ont poursuivi quand je suis sorti des fourrés.

— Et tu as bien dit que tu n'avais jamais vu ces deux types avant ce soir ?

— Oui, c'est ça ! Où est-ce que tu veux en venir ?

— C'est pourtant simple : comme les complices de Julot ne connaissaient pas ton visage, ils ont pris Mick pour le garçon qu'ils cherchaient !

— Mais il leur a pourtant dit qu'il n'était pas Richard ! s'écrie Annie.

— Ils ont dû penser que c'était une ruse, intervient Claude. Comment s'appelle l'endroit où ils allaient ?

— Je crois que c'est l'auberge de la Chouette, répond sa jeune cousine. On pourrait y aller et expliquer qu'il y a eu une terrible confusion. Je pense que Julot laisserait partir Mick, non ?

— Oui, je suppose. En tout cas, il faut qu'on sorte Mick de ce mauvais pas.

Une petite voix s'élève de l'ombre :

— Et *moi* ? Vous ne voulez pas me rame-

ner d'abord à la maison ? Je ne veux pas risquer de me retrouver nez à nez avec Julot.

— On ne va certainement pas perdre notre temps à te raccompagner chez toi ! réplique Claude froidement. C'est à cause de toi qu'on en est là. Il va falloir que tu viennes avec nous. On veillera à ce que Julot ne te remarque pas.

— Mais je ne veux pas venir avec vous ! J'ai trop peur de ce type ! gémit Richard.

— Alors, reste ici ! rétorque François, décidé à donner une leçon au jeune garçon.

Mais c'est encore pire : Richard se met à hurler :

— Ne me laissez pas ! Ne me laissez pas !

— Écoute, dit François, exaspéré, si tu viens avec nous, on pourra toujours te déposer chez les gendarmes en chemin, et ils te ramèneront chez toi sain et sauf. Mais arrête un peu de pleurnicher !

— Bon, qu'est-ce qu'on fait ? demande Claude. On ne sait même pas où se trouve cette auberge de la Chouette...

Annie et François ont l'air déboussolé, et ne savent quelle décision prendre.

— Où est la carte ? demande Claude, qui vient d'avoir une idée subite. Peut-être que l'auberge y est indiquée !

François sort la carte et la déplie.

— On est ici, dit-il en désignant une région marquée en vert. Dans le bois de Guimillau. Apparemment, c'est vraiment un endroit isolé ! Il n'y a pas un seul village à proximité !

François paraît de plus en plus désespéré. Tout à coup, Annie pousse une exclamation et dessine du doigt le contour d'un relief indiqué sur la carte.

— Regardez ! Vous voyez comment s'appelle cette butte ?

— « La colline de la Chouette », lit François. Oh ! Je vois où tu veux en venir, Annie ! S'il y a une maison par là, elle porte certainement un nom similaire... comme « l'auberge de la Chouette » ! Et d'ailleurs... vous ne pensez pas que le petit carré noir indiqué sur le flanc ouest de cette butte pourrait être un bâtiment ? Il n'y a pas de nom, mais c'est peut-être parce que c'est une ruine...

— Moi, je suis prête à parier que c'est l'auberge ! s'exclame Claude. Il faut qu'on y aille !

Un profond soupir poussé par Richard attire leur attention.

— Qu'est-ce qu'il y a encore ? demande François.

— Rien. J'ai faim, c'est tout.

Les autres se rendent brusquement compte qu'eux aussi ont faim – terriblement faim ! De

longues heures se sont écoulées depuis le goûter.

— Mieux vaut manger en marchant, suggère Annie. Chaque minute que nous perdons est une minute d'inquiétude pour Mick...

— Attendez ! gémit brusquement Richard. Je ne peux pas venir avec vous : j'ai caché mon vélo quand j'étais poursuivi par Julot et ses complices... mais je ne me rappelle pas où. Je ne le retrouverai jamais ! Je vais devoir rester tout seul dans cette horrible forêt !

— Tu peux prendre celui de Mick, dit François sèchement. Il est là-bas... le pneu est même réparé.

— Ah ! C'est vrai, dit Richard, soulagé. J'ai eu peur !

Claude se retient tout juste de faire une remarque désobligeante à Richard.

— Maintenant, allons-y, dit François, en montant sur sa bicyclette. Il faut qu'on découvre aussi vite que possible l'auberge de la Chouette !

chapitre 9

Aventure au clair de lune

Les quatre enfants roulent prudemment le long du sentier cahoteux qui traverse le bois. Ils sont heureux quand ils tombent enfin sur un chemin plus praticable. François s'arrête un moment pour faire le point.

— Maintenant... d'après la carte... il faut prendre à droite, ici, puis à gauche au prochain carrefour, et contourner une colline. Après, il faudra continuer pendant trois ou quatre kilomètres dans une petite vallée jusqu'à ce qu'on arrive au pied de la colline de la Chouette.

La lune brille haut dans la nuit et le ciel s'éclaircit tandis que les enfants pédalent le long du chemin. On y voit presque comme en plein jour.

— On ferait mieux d'éteindre nos lampes,

ça économisera les piles, suggère François. On distingue tout très bien. Le paysage a un aspect étrange, vous ne trouvez pas ?

— Toi aussi, Dago, éteins tes phares ! dit Annie.

Sa réflexion est accueillie par un rire général. François constate avec soulagement que sa jeune sœur retrouve sa bonne humeur habituelle.

— C'est vrai que les yeux de Dago sont aussi lumineux que des phares dans la nuit ! commente Richard. Dites... on ne pourrait pas manger quelque chose ?

— Si, c'est une bonne idée ! répond François, qui essaie de fouiller dans la sacoche de son porte-bagages tout en roulant. Mais mieux vaut s'arrêter quelques minutes. Je crois que j'ai déjà laissé tomber un œuf dur ! Venez, on va poser nos bicyclettes au bord de la route et prendre rapidement un sandwich.

Richard ne se le fait pas dire deux fois. Les filles ont tellement faim qu'elles mettent pied à terre aussitôt.

— Mais... qu'est-ce que c'est que ça ? questionne soudain Claude.

Tout le monde regarde dans la direction qu'elle désigne de la main.

— C'est une cabane en ruine, répond

François qui s'approche pour mieux voir. Il ne reste que les murs. Brrr ! Elle n'est pas rassurante !

Les enfants mangent aussi vite qu'ils le peuvent.

— Hé... Vous n'entendez pas un bruit bizarre ? demande Richard, en relevant la tête.

Tous tendent l'oreille. Richard a raison. Une voiture roule à travers la campagne. Ça, c'est vraiment un coup de chance ! Abandonnant le buisson près duquel ils se sont installés, les enfants se dirigent vers la route. Ils ne voient aucune lumière de phare, mais ils perçoivent le bruit du moteur.

— La voiture s'approche, dit Claude. Elle avance le long de la route. Oui ! Elle vient vers nous !

En effet, le ronronnement du moteur se fait de plus en plus audible. Les enfants se précipitent vers la route pour faire signe au conducteur. Mais, subitement, le bruit du moteur s'arrête. La lune éclaire une grosse voiture aux formes élancées qui s'arrête tout près. François étend la main pour empêcher les autres de bouger.

— Attendez, chuchote-t-il. Ça me paraît... un peu bizarre. Pourquoi est-ce que le conducteur

roule sans phares alors qu'on est en pleine nuit ?

Le petit groupe attend, tapi dans l'ombre. La voiture s'est garée non loin de la cabane abandonnée. Une portière s'ouvre. Un homme descend du véhicule et traverse la route en direction de la masure. Il porte un paquet sous le bras. Un sifflement discret s'élève. Un cri de chouette lui répond.

— Vous pensez que c'est un code ? demande Claude. J'ai déjà vu ça dans un film.

— Oui, je crois que c'est un signal convenu, confirme François, très intrigué. Qu'est-ce que ça veut dire ?

Il se tourne vers ses compagnons.

— Il ne faut pas faire de bruit, murmure-t-il. Claude, empêche Dago de grogner.

Mais le chien sait quand il faut se taire. Il ne gémit même pas. Il est là, immobile comme une statue, les oreilles dressées, aux aguets.

Pendant un moment, rien ne se passe. François avance à pas de loup vers un arbre d'où il peut mieux voir la cabane. Il aperçoit une personne qui sort des profondeurs du bois et s'approche de la masure où l'attend un autre individu – sans doute celui de la voiture. Qui sont ces gens ? Que peuvent-ils bien faire dans un endroit pareil, et à une heure pareille ? Les

deux inconnus échangent quelques paroles que François ne comprend pas. Il avance avec précaution vers un autre arbre afin de mieux voir ce qui se passe.

— Dépêche-toi, dit l'un des deux hommes. Ne mets pas tes affaires dans la voiture. Cache-les dans le puits.

François ne distingue pas très bien la scène, mais apparemment, le type qui est sorti des bois est en train de changer de vêtements. C'est sans doute cela que contient le paquet apporté par le conducteur de la voiture. François est de plus en plus intrigué. Celui qui s'est changé prend les habits qu'il vient d'enlever et se rend derrière la cabane. Il revient les mains vides et suit son compagnon jusqu'à la voiture. Avant même que la porte se soit refermée, le moteur est rallumé et le véhicule s'éloigne dans la nuit. Il passe devant les pins où les enfants sont aux aguets. Tous reculent dans l'ombre. La voiture accélère et disparaît bientôt. François va rejoindre les autres.

— Alors ? Qu'est-ce que vous pensez de tout ça ? demande-t-il. C'est bizarre, non ? Pourquoi est-ce que l'un de ces types a dû changer de tenue ? Il l'a laissée derrière la cabane, dans un puits, d'après ce que j'ai entendu. On pourrait aller voir ?

— Bonne idée ! Allons-y ! dit Claude. J'ai relevé le numéro de la voiture : 320 FC 29 ! ajoute-t-elle fièrement.

— C'est une grosse voiture noire, ajoute Richard. Typiquement ce qu'utilisent les gens suspects...

Les enfants reviennent vers la vieille cabane et se fraient un passage à travers les herbes folles et les broussailles, jusqu'à un puits à moitié écroulé. Il est recouvert d'une planche de bois. François la soulève. Elle est rongée par les ans. Claude se penche au-dessus du puits, mais elle ne peut rien voir. Une lampe électrique ne suffit pas à en éclairer le fond, qui semble très profond.

— Ça ne sert à rien, déclare François, en replaçant le couvercle. Je suppose que ce sont ses vêtements que cet homme a jetés là-dedans. Mais je ne sais pas pourquoi. Bon, on a assez perdu de temps : il vaut mieux qu'on finisse notre repas, et qu'on se remette en route pour la colline de la Chouette. Espérons qu'il ne nous arrivera pas d'autres aventures cette nuit. Ça suffit pour le moment !

chapitre 10

L'auberge de la Chouette

Ils s'élancent à nouveau sur la route, pédalant ferme sous le beau clair de lune. Ils parcourent un bon nombre de kilomètres, puis arrivent devant une petite colline.

— Vous pensez que c'est la colline de la Chouette ? demande Annie tandis qu'ils mettent tous pied à terre, car la côte est trop escarpée pour monter à bicyclette.

— Certainement, répond François. Mais est-ce qu'on trouvera ce qu'on cherche là-haut ? Et comment est-ce qu'on saura si c'est bien l'auberge de la Chouette ?

— Je propose qu'on explore un peu les lieux, dit Claude.

— Regardez ! dit Annie. Je vois des cheminées !

— C'est sûrement une vieille maison. On devrait pouvoir trouver un chemin qui y mène.

Ils continuent à progresser. Petit à petit, la maison apparaît plus distinctement. Dans la lumière de la lune, elle semble très imposante.

— Voici le portail, dit Claude avec un soupir de soulagement. Je commençais à en avoir assez de pousser mon vélo. C'est fermé. Pas à clef, j'espère !

Au moment où ils approchent des grandes grilles en fer forgé, elles commencent à s'ouvrir lentement. Les enfants s'immobilisent ; ils ne voient personne aux alentours. Le portail s'est-il actionné quand ils ont avancé ? Les aurait-on vus arriver, en pleine nuit ? Puis la petite troupe entend le bruit d'une voiture qui approche. C'est certainement pour elle que les portes se sont mises en mouvement. Les enfants comprennent tout à coup que le véhicule n'arrive pas du bas de la colline, mais de derrière les grilles : il est en train de quitter la vieille demeure !

— Mettez-vous vite à l'abri ! s'écrie François. Il ne faut pas qu'on nous voie pour le moment !

Ils se tapissent dans le fossé avec leurs bicyclettes tandis que la voiture passe lentement

devant le portail. François pousse une exclamation et donne un coup de coude à Claude.

— Regarde ! C'est la voiture noire ! C'est le même numéro !

— Ça alors ! murmure Claude, stupéfaite. Le conducteur a certainement amené ici l'homme qui a changé de tenue ! Je me demande si c'est bien l'auberge de la Chouette...

Le véhicule passe devant eux et disparaît après un virage. Les enfants, avec Dago et les bicyclettes, sortent du fossé.

— Il faut qu'on avance avec précaution jusqu'au portail, décrète François. Il est encore ouvert.

Courageusement, ils s'approchent des portes.

— Vous avez vu ? s'exclame Annie en désignant les piliers en brique où s'accrochent les grilles.

Les autres tournent la tête et retiennent leur souffle : une pierre plate accrochée au montant du portail porte l'inscription : *Auberge de la Chouette* !

— Venez, s'écrie François en s'avançant en direction des lourdes portes. On va jeter un coup d'œil aux alentours. Peut-être qu'on réussira à retrouver Mick.

Tous franchissent le portail.

Soudain, Annie saisit le bras de son frère, et

désigne les grilles derrière elle. Elles se referment de nouveau !

— Mais qui les fait fonctionner ? murmure Annie terrifiée.

— Je crois que c'est télécommandé depuis l'intérieur de la maison, répond François à voix basse. On peut toujours retourner sur nos pas et regarder si on découvre un mécanisme de fermeture automatique.

Laissant leurs bicyclettes au bord de l'allée, ils reviennent vers le portail. Ils tirent sur les portes. Elles ne bougent pas. Impossible de les ouvrir. Elles ont été solidement fermées, et rien de visible ne permet de les rouvrir.

— C'est un désastre ! s'exclame François, et il a l'air tellement furieux que les autres lui jettent des regards inquiets.

— Qu'est-ce qu'il y a ? demande Claude.

— Tu ne comprends pas ? Mais on est prisonniers, comme Mick, s'il est vraiment ici ! On ne peut plus ressortir par le portail !

— Et regardez ! Le domaine est entouré d'un mur très haut ! ajoute Richard.

Ils décident de dissimuler les bicyclettes derrière les arbres qui bordent le chemin broussailleux. On y voit des traces de pneus de voitures.

— Il vaut mieux marcher sur le côté de l'al-

lée, dit Claude. On serait trop visibles au milieu, sous ce clair de lune.

Ils avancent donc à l'ombre des arbres. Bientôt la maison leur apparaît, à un détour du chemin. Elle est très grande, en effet, et forme comme un E dont la barre centrale manquerait. Sur le devant, il y a une cour où la mousse pousse entre les pierres. Un mur bas, d'un mètre de haut environ, entoure cet espace pavé. Sur la gauche, il y a une sorte de petit abri qui ressemble à un poulailler. Une des pièces de l'étage du bâtiment principal et une pièce du bas sont éclairées. À part cela, la maison est plongée dans l'obscurité.

— On devrait faire le tour, dit François à voix basse.

Les quatre enfants et Dago commencent à contourner silencieusement la maison, se dissimulant autant qu'ils le peuvent sous les feuillages des arbres. À l'arrière de la maison, tout est sombre, à l'exception de deux longues fenêtres dont les rideaux sont tirés. François s'approche afin de voir si la petite fente est suffisamment large pour examiner l'intérieur de la pièce.

— C'est la cuisine, annonce-t-il aux autres. Elle est immense. Il y a une grande cheminée à un bout, avec des bûches qui brûlent.

— Tu vois quelqu'un ? demande Claude, essayant de regarder à son tour.

— Non, personne, répond son cousin.

Mais Claude pousse une exclamation et elle s'écarte pour laisser François coller son œil de nouveau.

Il aperçoit un homme se promener dans la pièce – un petit homme bossu dont la tête penche de côté. Derrière lui se trouve une femme, maigre, l'air maussade. Elle porte un tablier sale.

« Sans doute la cuisinière, se dit François. Comme elle a l'air triste ! Je me demande qui est cet homme... »

François raconte ce qu'il a vu à ses camarades. S'éloignant de la fenêtre de la cuisine, ils achèvent de contourner la vieille demeure et arrivent devant une pièce éclairée. Mais, cette fois, les rideaux sont trop bien tirés pour que l'on puisse voir à l'intérieur. Le petit groupe lève les yeux vers le sommet de la maison. Une faible lueur filtre à travers une petite fenêtre. Ce doit être un grenier. Est-ce que Mick y serait retenu prisonnier ? Il ne semble y avoir aucun moyen de pénétrer dans la maison. La porte de devant est fermée à clé. Il y a une porte de service, mais elle est également verrouillée. Pas une seule fenêtre n'est ouverte.

— On devrait peut-être jeter une pierre contre la vitre, suggère enfin Claude. Si Mick est prisonnier ici, c'est certainement là qu'il est enfermé. Tu es bien sûre d'avoir entendu ces hommes parler de l'auberge de la Chouette, Annie ?

— Absolument sûre, répond sa cousine. Jette donc une pierre, François, je me fais tellement de souci pour Mick !

François cherche un caillou et le lance. On entend un claquement sec contre la vitre. Une ombre s'approche immédiatement de la fenêtre. Les enfants écarquillent les yeux pour mieux voir. François lance une autre pierre, qui, elle aussi, frappe le carreau. Mais la personne a disparu de derrière la fenêtre. Les enfants se sentent mal à l'aise. Et si ce n'était pas Mick ? Si c'était l'un de ses geôliers ? Il aurait pu les apercevoir...

— Éloignons-nous, murmure Claude. Il vaut mieux passer de l'autre côté de la maison.

Ils contournent le bâtiment sans bruit... et, soudain, Richard saisit le bras de François.

— Regarde, dit-il, il y a une fenêtre ouverte au rez-de-chaussée ! On pourrait entrer par là.

chapitre 11

Pris au piège !

François examine la fenêtre que désigne Richard. Elle est en effet légèrement entre-bâillée.

« Je ne comprends pas qu'on ne s'en soit pas aperçus quand on est passés devant il y a quelques instants... », se dit-il.

Il hésite un peu. Faut-il, ou non, essayer de pénétrer dans la maison ?

— On devrait frapper à la fenêtre qui donne sur la cuisine, suggère Annie à François. La femme que tu as vue tout à l'heure nous ouvrira peut-être ? Avec elle, on pourra sans doute s'expliquer.

— Mais il y a cet homme bossu ! rappelle Claude. Il me fait peur. Non : il vaut mieux passer par la fenêtre entrouverte. Quand on sera à

l'intérieur, on n'aura qu'à aller voir tout doucement si Mick est là-haut. Ensuite, on le libère, et on s'échappe de nouveau par le même endroit. Si on est discrets, personne n'en saura rien.

François s'approche de la fenêtre et l'enjambe. Puis il tend la main à Annie.

— Viens, dit-il, je vais t'aider.

Sa sœur grimpe. Enfin c'est le tour de Claude et de Richard. Claude se penche par-dessus le rebord pour encourager Dago à sauter lorsqu'un événement imprévu se produit. La lumière s'allume dans la pièce, éclairant les quatre enfants qui demeurent immobiles, clignant les yeux, effrayés. Que se passe-t-il ?

Tout à coup, Annie reconnaît la voix de l'un des hommes qui ont enlevé Mick.

— Tiens, tiens ! Un groupe de jeunes cambrioleurs !

La voix se durcit :

— Comment avez-vous osé pénétrer ici ? Je vais appeler la police !

Dehors, Dago se met à gronder férocement. Il fait un bond et réussit presque à sauter sur le rebord de la fenêtre pour entrer dans la pièce. Mais l'homme comprend aussitôt ce qui se passe et il court fermer les deux battants. Cette fois, Dago ne peut plus entrer !

— Laissez entrer mon chien ! s'écrie Claude en se précipitant à son tour vers la vitre.

Mais l'homme lui attrape le bras, et, d'une poigne très ferme, l'oblige, à s'asseoir sur une chaise.

— Voilà ce qui arrive aux gosses qui m'embêtent, dit-il tandis que la pauvre Claude frotte son avant-bras endolori.

— Hé ! commence François, révolté de voir sa cousine ainsi maltraitée. Qu'est-ce qui vous prend ? On n'est pas des voleurs ! Appelez la police si vous voulez !

— Ah oui ? grommelle l'homme. Tu crois que la police vous félicitera d'être entrés sans permission ?

— Mais puisqu'on vous dit qu'on n'est pas des voleurs ! reprend Claude. Si on est venus ici, c'est parce qu'on pense que vous retenez mon cousin prisonnier dans cette maison. Mais vous vous êtes trompés : ce n'est pas lui que vous cherchiez !

L'homme jette à Claude, puis à François, un regard perçant. Il semble réfléchir.

— On ne détient personne ici, dit-il enfin d'un ton sec. Je ne sais pas du tout de quoi vous voulez parler.

— Vous avez emmené mon frère Mick ! s'écrie Annie, au bord des larmes. C'était ce

soir même, dans le bois de Guimillau. Vous avez cru qu'il était Richard Quentin... eh bien, vous vous êtes trompé, c'était mon frère Mick !

— Ah oui ? Et *comment* sais-tu tout ça ? l'interroge l'homme.

— L'un de nous était là, intervient immédiatement François. Dans un arbre. C'est comme ça qu'on a tout appris.

Il y a un silence. L'homme sort une cigarette et l'allume.

— Eh bien, tu te trompes complètement, finit-il par annoncer d'un voix soudain très douce. On n'a pas de prisonnier. Toute cette histoire est ridicule. Et maintenant, comme il est tard, vous n'avez qu'à tous rester coucher ici et vous repartirez demain matin.

Les enfants hésitent. Si Mick est dans la maison, ils auront le temps de découvrir dans quel coin il est enfermé, et ils pourront le libérer dans la nuit. Il y a quelque chose de mystérieux et de sinistre dans cette ancienne auberge... Claude et François échangent un regard.

— On va rester ici, répond enfin l'aîné du groupe.

L'homme se retourne vers la porte et appelle :

— Margot !

La cuisinière que les enfants ont vue tout à l'heure apparaît aussitôt.

— Ces gosses se sont perdus, lui dit-il. Ils passeront la nuit ici. Prépare une des chambres – mets des matelas par terre, avec des couvertures. Et donne-leur à manger, s'ils ont faim.

Margot a l'air stupéfait.

— Eh bien, ne reste pas plantée là comme ça ! crie l'homme. Fais ce que je te dis ! Emmène les gosses avec toi !

La cuisinière fait signe aux enfants de la suivre, elle les conduit au premier étage, dans une grande chambre décorée d'un tapis. Il y a un petit lit dans un coin, et deux chaises. C'est tout.

— Je vais chercher des matelas, dit la femme.

— Voulez-vous que je vous aide ? propose François, songeant que ce serait une bonne idée de jeter un coup d'œil dans la maison.

— Oui, viens. Vous autres, restez ici.

Elle sort avec François. Ils se dirigent vers un placard d'où la cuisinière essaie de sortir deux grands matelas. François vient à son aide, ce qui semble la toucher.

— Merci, dit-elle. Ils sont très lourds.

— Je n'ai pas l'impression que vous recevez souvent des enfants ici, glisse François.

— Eh bien, c'est bizarre : vous arrivez juste après..., commence la femme, puis elle se mord les lèvres en regardant autour d'elle d'un air inquiet.

— Juste après quoi ? la presse François. Juste après un autre enfant, vous voulez dire ?

— Chut ! murmure la femme, l'air affolé. Pourquoi est-ce que tu dis ça ? M. Bertaud serait très en colère s'il savait que tu as dit une chose pareille. Il croirait que c'est moi qui t'ai mis au courant. N'y pense plus.

— C'est un jeune garçon, hein ? Il est enfermé dans le grenier ? reprend François.

Prise de panique, Margot lâche l'extrémité du matelas.

— Mais tais-toi donc ! Est-ce que tu tiens absolument à m'attirer des ennuis... et à tes compagnons aussi ? Tu ne connais pas M. Bertaud !

Elle se baisse pour ramasser le matelas, et le porte avec François jusque dans la chambre où attendent Claude, Annie et Richard.

— Je vais vous chercher de quoi manger, ajoute la femme après un silence. Vous trouverez des couvertures dans ce placard là-bas.

Elle disparaît, et François se hâte de raconter à ses amis sa courte conversation avec Margot.

— On va voir si on peut trouver Mick dès que les habitants de la maison dormiront, dit-il. Il se passe des choses bizarres, ici. Plus tard, on ira jeter un coup d'œil aux alentours. Ce M. Bertaud ne m'inspire pas confiance...

— Moi non plus ! renchérit Richard. En tout cas, je suis bien content que Julot ne se soit pas montré ce soir, sinon il m'aurait tout de suite reconnu, et j'aurais remplacé Mick dans son grenier...

François dévisage un instant le jeune garçon, perdu dans ses pensées. Soudain, il s'écrie :

— Mais bien sûr ! C'est donc ça ! Si ce M. Bertaud nous a proposé de rester dormir ici, ce n'est pas par bienveillance. C'est parce qu'il veut attendre l'arrivée de Julot qui est le seul à connaître le visage de Richard, et donc le seul à pouvoir lui confirmer qu'on dit la vérité.

— Je pense qu'ils nous laisseront tranquilles, quand ils se seront aperçus qu'il y a eu une confusion, non ? demande Annie.

— Oui, je l'espère, répond François.

— Et *moi* ? intervient soudain Richard. Une fois que Julot m'aura vu, je serai cuit ! C'est moi qu'il cherche. Il déteste mon père et il me déteste aussi. Il va m'enfermer quelque part, j'en suis sûr !

— Eh bien, il faut faire en sorte qu'il ne te voie pas, déclare François.

Richard paraît très inquiet. Il se met dans un coin et n'en bouge plus.

chapitre 12

François explore la maison

Margot apporte un maigre repas. Ce n'est que du pain beurré et de la confiture, avec du chocolat chaud. Les quatre enfants n'ont pas très faim, mais ils boivent le chocolat au lait avec plaisir.

— Écoutez, dit François en revenant du couloir où il a guetté un long moment. Je crois que ce serait une bonne idée d'éteindre la lumière et de dormir. Moi, je vais arranger la couverture sur mon matelas, comme ça, si quelqu'un vient, on croira que je suis couché.

— Où tu vas ? demande Annie, d'une voix angoissée.

— Je vais me cacher dans le placard du couloir, répond son frère. Si M. Bertaud vient nous enfermer à clé, je ne serai pas prisonnier de

cette chambre ! Quand il sera reparti, je n'aurai qu'à sortir de mon placard, et rouvrir la porte. Comme ça, je vous libérerai tous !

— Oui, c'est une bonne idée, approuve Claude en s'allongeant sur son matelas. Dépêche-toi, François, avant que ce type vienne nous enfermer.

Le jeune garçon éteint la lampe et marche à pas de loup vers la porte qu'il laisse entrebâillée derrière lui. Puis il se dirige vers le réduit, dans l'obscurité. Il se glisse à l'intérieur, ouvre légèrement le battant afin de voir si quelqu'un approche. Il patiente une vingtaine de minutes. Le placard sent le moisi, et ce n'est pas amusant d'attendre là, sans rien faire. Soudain, François entend des bruits de pas. Le jeune garçon regarde par la fente et voit M. Bertaud qui s'avance le long du couloir. Il s'arrête devant la pièce où couchent les enfants et pousse légèrement la porte. François retient son souffle. L'homme s'apercevra-t-il que, sur un des matelas, il n'y a qu'une couverture roulée sur elle-même et cachée sous une couette ?

M. Bertaud examine la chambre. Il distingue quatre formes allongées sur les matelas... et croit voir les quatre enfants. Ils semblent tous endormis. Doucement, M. Bertaud ferme la porte et la verrouille à double tour. François

l'observe anxieusement, craignant qu'il n'emporte la clef avec lui. Non... il la laisse dans la serrure ! Quelle chance ! François attend un long moment, puis sort de son placard. Il marche jusqu'à la chambre de M. Bertaud et regarde par le trou de la serrure pour voir si la pièce est ou non dans l'obscurité. Oui, la lumière est éteinte ! M. Bertaud est-il en train de ronfler ? François n'entend rien. Mais il n'a pas l'intention d'attendre là plus longtemps. Il va se mettre à la recherche de Mick, et le grenier est certainement le premier endroit où il faut regarder.

« Je parie que M. Bertaud était là-haut avec Mick quand j'ai jeté des pierres contre les vitres, songe François. Et il est redescendu ouvrir la fenêtre du bas pour qu'on soit tentés d'entrer dans la maison. Et, tête baissée, on a foncé dans le piège ! »

Le jeune garçon monte l'escalier lentement, craignant de faire craquer les marches. Elles grincent, en effet, et le pauvre François s'arrête à chaque pas, prêtant l'oreille pour savoir si quelqu'un l'a entendu. Au sommet de l'escalier se trouve un long couloir qui s'étend à droite et à gauche. François jette un coup d'œil dans chaque pièce. Il y fait sombre et l'on n'y

distingue que des meubles épars. Enfin, il arrive à une porte fermée.

« C'est la seule qui soit verrouillée. À tous les coups, Mick est dans cette pièce », pense le jeune garçon.

Il regarde par le trou de la serrure, mais ne voit rien. François frappe doucement. Une voix répond... c'est celle de Mick !

— Qui est là ?

— Chut ! C'est moi : François ! Tu vas bien ?

— François ! Comment est-ce que tu es arrivé jusqu'ici ? Tu peux ouvrir la porte ?

— Non, la clé a disparu, dit-il. Mick, ces hommes ne t'ont pas fait de mal, au moins ?

— Pas vraiment. Ils m'ont poussé dans la voiture et amené ici, répond Mick. Il y avait deux types, et apparemment ils attendaient le troisième, un certain Julot. Ils ont patienté un moment et, comme personne ne venait, ils sont repartis. Il paraît que Julot arrive demain matin. Si j'ai bien compris, c'est le seul qui connaisse Richard. Ça lui fera un choc quand il verra que ses complices ont embarqué la mauvaise personne !

— Richard est ici avec nous, chuchote François. J'aurais préféré qu'il ne vienne pas, parce que si ce Julot le voit, il le gardera pri-

sonnier, c'est certain. Il faut qu'on s'arrange pour que cet affreux garde du corps ne voie que toi, et, pour que les autres bandits, qui croient que Richard est aussi mon frère, nous laissent tous partir. Tu es venu ici directement dans leur voiture ?

— Oui, répond Mick. On m'a conduit au grenier et un des hommes, persuadé qu'il s'adressait à Richard, m'a dit : « Dès le retour de Julot, on fera savoir à ta famille que tu es retenu en otage et que tu ne seras libéré que si ton père verse la rançon qu'on lui réclame. » Puis il est brusquement parti et je ne l'ai pas revu.

— Je parie que c'est au moment où on jetait des pierres contre ta fenêtre, commente François. Tu n'as pas entendu ?

— C'était donc ça, ce claquement ? Le type est tout de suite allé à la fenêtre et il a dû vous voir. Mais toi, François ? Comment est-ce que tu es arrivé ici ? Vous êtes tous là ? Je suppose que c'est Dago que j'ai entendu hurler tout à l'heure ?

François raconte à son frère toute l'histoire, depuis le moment où lui et Claude ont retrouvé Richard en larmes. À la fin de son récit, le silence se fait. Puis la voix de Mick reprend :

— Ça ne servira pas à grand-chose de faire

des plans, François. Si tout va bien, on sera libres demain, dès que Julot se sera aperçu que je ne suis pas le garçon qu'il cherche. Si les choses vont mal... on sera au moins tous ensemble et on pourra établir une stratégie de bataille. Je me demande ce que la maman de Richard va penser en ne le voyant pas revenir cette nuit.

— Elle croira probablement qu'il est chez sa tante, répond François, d'un air sombre. Ce garçon n'est vraiment pas digne de confiance. Je lui en veux tellement ! C'est à cause de lui qu'on est dans ce pétrin !

— Écoute : c'est Dagobert qui hurle de nouveau, s'écrie Mick. Il doit être furieux d'être séparé de Claude. Tu ferais mieux d'aller le faire taire, François, au cas où il réveillerait les habitants de cette maison. Si jamais on te trouvait là... Bonne nuit, François. Je suis content que vous m'ayez retrouvé.

— Bonne nuit, répond son frère.

Il revient sur ses pas le long du couloir, scrutant l'ombre d'un œil inquiet, car il craint toujours que M. Bertaud ou l'un de ses complices ne soit aux aguets. Mais il n'y a personne. Les hurlements de Dago cessent. Un profond silence règne dans toute la maison. François descend un étage et arrive devant la chambre

où dorment ses compagnons. Là, il s'arrête. Faut-il continuer à explorer les lieux ? Il décide de descendre visiter les pièces du rez-de-chaussée. La cuisine n'offre rien d'intéressant. François va visiter la pièce d'en face. C'est une salle à manger, avec une longue table vernie, des chandeliers posés sur une cheminée où rougeoient encore les restes d'un feu de bois. Rien d'intéressant là non plus. Le jeune garçon pénètre dans une troisième pièce. On dirait un atelier. Il s'y trouve un grand bureau et, scellé dans le mur, un support sur lequel est posé un instrument bizarre, muni d'une espèce de volant. François se demande si c'est la commande du portail. Oui, c'est ça ! Il y a une petite pancarte qui indique : *Grille de gauche. Grille de droite.*

« Si seulement je pouvais faire sortir Mick de son grenier, se dit François, on pourrait tous s'enfuir ! »

Il commence à tourner le volant...

chapitre 13

L'étrange secret

Un son bizarre, semblable à un grondement étouffé, se fait entendre. Sans aucun doute, François a déclenché l'ouverture du portail ! Il tourne hâtivement le volant en sens inverse. Si ce système fait tant de bruit, mieux vaut ne pas y toucher, car il risque de réveiller M. Bertaud.

« C'est très malin, comme procédé », songe le jeune garçon en examinant l'appareil autant que le permet la lumière de la lune filtrant par la fenêtre.

De nouveau, il regarde autour de lui. Son oreille perçoit un bruit et il demeure immobile.

« On dirait quelqu'un qui ronfle, se dit-il. Mieux vaut ne pas trop s'attarder ici. Le dormeur ne doit pas être loin ! »

Mais il est intrigué, car il ne voit près de la

cuisine aucune pièce pouvant servir de chambre à coucher. Il revient vers l'atelier. Le ronflement lui parvient de nouveau, toujours aussi fort. Pas de doute possible, le dormeur doit être tout proche. Le garçon fait le tour de la pièce, essayant de trouver l'endroit d'où le ronflement lui parvient le plus distinctement. Oui... c'est près de cette bibliothèque qui va jusqu'au plafond. Y a-t-il une chambre derrière ce mur ? François s'approche. Mais il n'y a pas d'autre porte dans les murs de l'atelier. Voilà qui est de plus en plus mystérieux !

François s'approche de nouveau de la bibliothèque. Il en est sûr, maintenant, *quelqu'un* ronfle tout près... Mais où ? Le garçon se met à examiner les étagères. Elles sont remplies de livres pressés les uns contre les autres – des romans, des biographies, des manuels techniques. Il en enlève quelques-uns et examine le fond du meuble. Il est d'un bois robuste. Il remet les volumes en place et continue son enquête. Un rayon a l'air différent des autres : il est beaucoup moins bien rangé. François commence à enlever les ouvrages de cette étagère. Derrière se trouve encore un panneau de bois. Le garçon étend la main... et découvre une poignée. Prudemment, François la tourne. Rien ne se passe. Il appuie dessus. Toujours rien ! Il

la tire... et là, elle glisse lentement vers lui ! Alors, le panneau de bois semble s'enfoncer dans le sol, dégageant une ouverture assez grande pour qu'on s'y faufile. François retient son souffle.

Une faible lueur apparaît dans l'espace sombre sur lequel s'est ouvert le panneau secret. François tremble d'excitation. Le ronflement est maintenant tellement sonore que le dormeur doit être tout près. Peu à peu, les yeux du jeune garçon découvrent une petite chambre avec un lit étroit, une table et une étagère. Sur le lit, il y a un homme, dont François ne distingue pas le visage, mais qui a l'air d'être grand et fort. Il ronfle paisiblement.

« Quelle trouvaille ! se dit François. C'est un endroit où l'on peut cacher des tas de gens... des gens qui cherchent à échapper à la police par exemple... Mais on aurait dû dire à cet homme-là de ne pas ronfler. Il s'est trahi ! »

Le garçon n'ose pas s'attarder plus longuement. La chambre secrète doit avoir été construite entre le mur de l'atelier et celui du corridor. François repousse la poignée, et le panneau remonte aussi silencieusement qu'il est descendu. Il est sûrement huilé avec soin. Le ronflement de l'inconnu est maintenant beaucoup moins distinct. François remet les livres

en place, espérant qu'on ne constatera pas qu'ils ont été déplacés. Il est très ému. Il sent bien qu'il a découvert quelque chose d'important. Il remonte doucement au premier étage. Il n'a qu'une envie, c'est de s'allonger pour réfléchir.

Ce n'est pas M. Bertaud, mais Margot qui réveille les enfants le lendemain. Elle entre dans la chambre et déclare :

— Si vous voulez votre petit déjeuner, descendez avec moi !

Ils se dressent tous sur leurs matelas, se demandant un instant où ils peuvent bien être.

— Bonjour, dit Annie, clignant des yeux ensommeillés. Vous avez parlé de petit déjeuner ? Tant mieux ! Mais où est-ce qu'on peut se laver ?

— Dans la cuisine, répond la femme d'un ton maussade.

— Laissez la porte ouverte si vous voulez qu'on descende, dit François, d'un ton innocent. M. Bertaud l'avait fermée à clé, hier soir.

— C'est ce qu'il m'a dit, rétorque Margot. Mais, apparemment, il ne l'avait pas verrouillée... elle ne l'était pas quand je suis venue l'ouvrir ce matin. Enfin, heureusement que vous vous croyiez enfermés, sinon, vous vous seriez promenés dans toute la maison !

— Probablement, répond François en adressant un clin d'œil aux autres.

— Allez, dépêchez-vous, La Bosse vous attend en bas, dit la cuisinière, et elle sort de la chambre.

— J'espère que le pauvre Mick a droit au petit déjeuner, lui aussi, murmure Claude.

Les autres s'approchent aussitôt de lui.

— François... tu as retrouvé Mick, hier soir ? questionne Annie à voix basse.

Son frère hoche la tête. Puis, rapidement, il raconte à ses compagnons tout ce qu'il a découvert : que Mick est enfermé au grenier, qu'il y a un panneau secret qui dissimule une cachette où dort un inconnu et que le portail est actionné depuis un petit atelier.

— Bravo, François ! s'exclame Claude. Quelle aventure ! J'aurais bien voulu être avec toi !

— Il valait mieux agir seul pour ne pas attirer l'attention des complices de Julot... et maintenant, descendons, sinon Margot va se fâcher, répond le jeune garçon.

Quand ils entrent dans la cuisine, le bossu est là, qui finit de déjeuner. Il fronce les sourcils en voyant les enfants qui ne lui prêtent aucune attention.

— Il vous en a fallu du temps ! grommelle

Margot. Voilà l'évier, si vous voulez vous laver, et voilà deux serviettes. C'est vrai que vous avez l'air bien sales.

— On ne nous a pas proposé de faire notre toilette hier soir, réplique Claude.

Après s'être chacun frotté le visage avec de l'eau et du savon, le petit groupe s'installe devant la grande table de la cuisine. La cuisinière y a posé du pain beurré et un pot de chocolat bouillant. Les enfants commencent à manger. François ne cesse de plaisanter, faisant signe aux autres de lui répondre sur le même ton joyeux. Il ne faut pas que le bossu croie qu'ils ont peur ou qu'ils se font du souci.

— Assez ! finit par s'écrier La Bosse.

François fait mine de ne rien entendre et continue de parler. Claude lui donne vaillamment la réplique, mais Annie et Richard se taisent, effrayés par le ton méchant du bonhomme.

— Vous avez entendu ce que j'ai dit ? s'irrite La Bosse en se levant de son siège. Taisez-vous tous !

— Faites ce qu'il vous dit, intervient Margot d'une voix inquiète. Ça vaut mieux pour tout le monde...

M. Bertaud entre dans la cuisine à cet instant précis. Il jette un coup d'œil circulaire.

— Julot va arriver, dit-il. Et un ou deux autres gars. Les enfants vont rester ici pour l'instant. J'aurai peut-être besoin d'eux plus tard.

Il sort. Margot s'est mise à trembler.

— Julot arrive ! murmure-t-elle à l'oreille de La Bosse.

— J'ai entendu, répond l'homme d'un ton sec. Je vais surveiller ces gosses de près.

chapitre 14

Julot n'est pas content !

Une heure plus tard, les enfants entendent une espèce de grondement qui se termine par un grincement. Richard, Annie et Claude sursautent. Mais François sait ce qui provoque ce bruit.

— C'est le portail, explique-t-il.

— Comment tu sais ça, toi ? demande aussitôt La Bosse, d'un air soupçonneux.

— Disons que... j'ai beaucoup d'intuition ! répond nonchalamment François. Est-ce que je me trompe ? Et je parie que c'est Julot qui arrive...

— Tu fais un peu trop le malin, toi ! Ça risque de ne pas plaire à notre nouvel arrivant ! grommelle La Bosse en marchant vers la porte.

Les enfants se dirigent vers la fenêtre, que

Claude ouvre d'un geste. Dago est là, juste devant.

— Dago ! s'écrie Claude en entendant une voiture s'avancer le long de l'allée. Dago, reste là ! Ne bouge pas !

Elle a peur de voir le chien courir à la porte d'entrée et sauter sur les gens qui descendent de la voiture. Dago la fixe d'un air perplexe. Pourquoi n'a-t-il pas le droit d'entrer dans la maison, alors que Claude s'y trouve ?

— Voilà la voiture ! dit Annie.

Ils regardent tous : il fallait s'y attendre, le véhicule est immatriculé 320 FC 29. Il passe devant les fenêtres de la cuisine et s'arrête devant la porte d'entrée. Trois hommes en sortent. Et Richard recule d'un pas, en blêmissant. François lui jette un coup d'œil interrogateur, pour lui demander silencieusement si l'un des nouveaux venus est Julot. Richard incline la tête. Il semble très effrayé. François cherche un moyen pour sortir de la cuisine : il voudrait s'assurer que Mick va bien, et permettre à Richard d'aller se réfugier dans la chambre pour que Julot ne le voie pas en arrivant. Le garçon s'avance doucement vers la porte, espérant que La Bosse, qui nettoie des chaussures, ne s'en apercevra pas. Mais celui-ci élève aussitôt la voix.

— Où tu vas, petit vaurien ? Si tu ne restes pas tranquille, je le dirai à M. Bertaud... et il te fera regretter ta désobéissance.

— Il a raison, intervient immédiatement Margot, d'une voix mal assurée. Ne fais rien qui puisse t'attirer des ennuis avec M. Bertaud ou avec Julot.

La porte d'entrée claque bruyamment, et on entend des bruits de pas gravir l'escalier.

« À tous les coups, quelqu'un monte chercher Mick », songe aussitôt François.

Il tend l'oreille. Margot commence à cirer une paire de chaussures. Les autres enfants écoutent, eux aussi, car ils ont tous deviné que l'on est allé récupérer le prisonnier pour le montrer à Julot. Ils entendent, cette fois, que deux personnes descendent l'escalier, et reconnaissent tout de suite la voix de Mick.

— Lâchez-moi ! dit-il. Vous n'avez pas besoin de me tirer comme ça !

Sacré Mick ! Il ne se laisse pas faire sans protester ! Il est conduit dans la pièce où attendent les autres hommes. Une voix forte s'élève soudain :

— Mais... ce n'est pas lui ! Espèces d'imbéciles, vous vous êtes trompés de garçon !

La Bosse et Margot ont entendu, eux aussi. Ils se regardent d'un air ébahi, puis se dirigent

vers la porte et écoutent en silence. François s'approche de Richard.

— Passe du cirage à chaussure dans tes cheveux, murmure-t-il. Noircis-les autant que tu peux. Si ces hommes viennent nous voir, ils te reconnaîtront moins facilement si tes cheveux ont changé de couleur. Vite, dépêche-toi pendant que Margot et La Bosse ne font pas attention à toi.

François désigne le tube de cirage qu'a délaissé la cuisinière quand elle s'est approchée de la porte. Richard verse une grosse noix de crème noire sur ses mains tremblantes et commence à en recouvrir ses cheveux blonds.

— Mets-en plus, chuchote Claude, qui a suivi la manœuvre. Bien plus que ça ! Personne ne te regarde !

Richard obéit. François hoche la tête avec satisfaction. Oui, avec des cheveux noirs, Richard est transformé. Une âpre discussion se déroule dans la pièce de l'autre côté du hall. On distingue aussi la voix de Mick. Soudain, ce dernier s'écrie :

— Je vous avais bien dit que vous vous trompiez ! Maintenant, vous allez me laisser partir, oui ou non ?

On entend des bruits de chaises.

— Ils viennent ! murmure Margot.

Des pas s'approchent, et la porte de la cuisine s'ouvre d'un coup. M. Bertaud apparaît, suivi d'un autre homme. Les enfants comprennent immédiatement qui il est ! La bouche épaisse, le nez énorme... oui, c'est le terrible Julot. Richard se recroqueville dans son coin, essayant de se dissimuler derrière les autres. Mick est avec les deux hommes. Il adresse aux enfants un geste amical. Claude sourit. Julot regarde la petite troupe. Ses yeux se posent plus longuement sur Richard, mais il ne dit rien. Il ne semble pas l'avoir reconnu ! Après un silence, M. Bertaud prend la parole :

— Écoutez, dit-il d'un ton presque poli. Je reconnais que nous avons fait une erreur. Ce garçon n'est pas celui que nous cherchons.

— On n'a pas arrêté de vous dire que c'est notre frère, déclare Annie.

— C'est vrai. Je regrette de ne pas vous avoir crus. Mais tout le monde peut se tromper. Et maintenant, on voudrait vous dédommager de... euh... des ennuis qu'on vous a causés... Voilà de quoi vous acheter ce qui vous plaira. Vous pourrez partir quand vous voudrez.

— Mais n'allez pas raconter cette histoire à qui que ce soit ! intervient soudain Julot d'une voix menaçante. On s'est trompés, d'accord, mais il faudra tenir votre langue. Si vous par-

lez de cette histoire, on dira qu'on a trouvé ce garçon perdu dans les bois, qu'on a eu pitié de lui et qu'on l'a hébergé pour la nuit. Quant à vous, on dira que vous êtes entrés dans le parc sans permission. Compris ?

Tout le monde hoche la tête. Il est évident qu'il ne faut pas chercher à contredire Julot. M. Bertaud sort son portefeuille et tend un billet de banque à chacun des enfants. Ils regardent François pour savoir s'il faut ou non accepter cet argent. François hésite une seconde, voit Claude lui adresser un clin d'œil, et prend l'argent sans un mot de remerciement. Ses compagnons font de même. Richard garde la tête baissée, espérant que les deux hommes ne remarqueront pas que ses genoux tremblent. Il a vraiment horriblement peur de Julot.

— Et maintenant, filez ! dit l'ancien garde du corps. Et oubliez cette histoire... sinon, vous le regretterez !

Il ouvre la porte qui donne sur le jardin. Les enfants sortent en silence, Richard se faisant tout petit au milieu du groupe. Dago les attend. Il pousse un aboiement joyeux et se précipite sur Claude pour lui lécher le visage et les mains. Puis il lance un coup d'œil vers la porte de la cuisine et pousse un grognement interrogateur qui signifie sans doute : « Est-ce que

vous voulez que j'aille donner une leçon à ces gens-là ? » Mais Claude le prend par le collier.

— Non, dit-elle, viens avec nous, Dago. Il faut sortir d'ici aussi vite que possible.

— Je sais ce qu'on pourrait faire de cet argent, dit soudain Annie. On pourrait le donner à Margot. Elle semble en avoir besoin. Et puis, on ne va pas garder des billets qui nous ont été donnés par ces sales bonshommes...

Les autres approuvent l'idée de la fillette. Margot est sortie de la cuisine pour les voir partir. François s'approche d'elle.

— Pour vous, dit-il, en lui mettant tous les billets dans la main. On ne veut pas de cet argent.

Margot a l'air stupéfait. Ses yeux s'emplissent de larmes.

— Mais... c'est une fortune, dit-elle. Non, non, reprenez ça.

Claude secoue la tête.

— Que vous êtes gentils ! murmure la pauvre femme. Oh ! Je vous remercie !

Les enfants tournent les talons tandis que Margot les regarde s'éloigner, émue et surprise.

— Tu as eu une très, très bonne idée, déclare Claude, et tout le monde est d'accord, car Margot leur a fait pitié.

— Venez, dit François, il ne faut pas rater

l'ouverture du portail. Vous entendez ce grondement ? C'est le système qui commande les portes. Ouf ! On est libres... et Richard aussi ! La chance a été de notre côté !

— Oui, j'avais tellement peur que Julot ne me reconnaisse, même avec des cheveux passés au cirage ! dit gaiement Richard. Regardez ! Le portail est ouvert ! Vive la liberté !

— Allons récupérer les vélos, dit François. Tu t'assiéras comme tu pourras sur mon porte-bagages, Richard. Il faut rendre sa bicyclette à Mick et comme la tienne est perdue... Tenez, les voilà.

Ils pédalent vers le portail. Soudain, Annie pousse un cri.

— Regardez ! Le portail se referme ! Vite, vite, on va être prisonniers de nouveau !

Les enfants s'aperçoivent avec horreur que les portes sont bien en train de se refermer. Ils pédalent aussi vite qu'ils le peuvent, mais cela ne sert à rien. Quand ils arrivent aux grilles, celles-ci sont closes. Ils tirent dessus, les secouent, mais en vain. Quelle malchance ! Juste au moment où ils se croyaient enfin libres !

chapitre 15

Prisonniers !

Toute la bande se jette sur la pelouse, complètement découragée.

— Pourquoi est-ce qu'ils ont fait ça, juste au moment où on sortait ? demande Mick.

Tout à coup on entend le bruit d'une voiture qui avance le long de l'allée. Les enfants sautent sur leurs pieds. Richard, pris de panique, se réfugie derrière un buisson. Il est terrifié à la pensée d'affronter de nouveau Julot. La voiture s'arrête près de la petite troupe.

— Oui, ils sont encore là, dit la voix de M. Bertaud.

Il sort du véhicule, suivi de Julot. Ce dernier lance un regard rapide en direction des enfants.

— Où est l'autre garçon ? demande-t-il aussitôt.

— Il a dû avoir le temps de franchir le portail..., répond froidement François. Pourquoi est-ce que vous avez refermé les grilles aussi vite ?

Mais Julot a aperçu Richard derrière son buisson. Il s'avance vers lui et l'examine avec soin. Puis il le pousse vers M. Bertaud...

— Oui, c'est bien ce qu'il me semblait... Voilà le garçon qu'on cherche ! Il s'est noirci les cheveux, c'est pour ça que je ne l'ai pas reconnu tout de suite. Mais je savais bien que sa tête m'était familière... et je voulais l'examiner de plus près.

Tout en parlant, il secoue Richard comme un prunier.

— Alors... qu'est-ce qu'on fait de lui ? demande M. Bertaud, sombrement.

— On le garde ici, évidemment, répond Julot. Je vais enfin pouvoir me venger de son père. Il va falloir qu'il verse une jolie somme s'il tient à revoir son fiston ! Et je vais faire payer à ce sale gosse d'avoir tout raconté !

Il secoue Richard plus violemment encore. Claude, pâle de colère, ne peut plus supporter de regarder une telle scène sans intervenir. Elle fait un pas en avant.

— Arrêtez ! crie-t-elle. Laissez ce garçon tranquille ! Ça ne vous suffit pas d'en avoir déjà enlevé un, et de nous avoir gardés ici toute la nuit ?

Julot lâche Richard et se précipite sur Claude. Mais, avec un grognement féroce, Dagobert se jette entre eux et mord l'homme à la main. Julot pousse un cri de rage et s'exclame :

— Rappelle ce chien ! Rappelle-le tout de suite !

— Je le rappellerai si vous nous laissez tous partir immédiatement. Ouvrez ce portail ! répond vigoureusement Claude.

Dago continue de grogner et les deux hommes reculent. Julot ramasse une grosse pierre.

— Si vous osez lancer ça, mon chien vous sautera à la gorge ! hurle Claude, affolée.

M. Bertaud fait signe à son compagnon de laisser tomber la pierre, et lui dit :

— Ne faites pas l'imbécile, Julot. Libérez ces gosses...

— Pas avant que notre plan soit établi, répond l'ancien garde du corps d'un ton rogue, tout en tenant sa main blessée. On va tous les garder prisonniers ici. Il ne faudra pas longtemps pour qu'on ait fini le boulot. Et, en plus,

je vais emmener ce petit morveux de Richard Quentin avec moi en partant. Ah ! Je vais lui en faire voir de toutes les couleurs... et à son père aussi !

— Écoute, Julot, tu ferais mieux de revenir à la maison et de soigner ta main, dit M. Bertaud. Elle saigne beaucoup.

Julot finit par se laisser convaincre. Il brandit son poing valide en direction des enfants.

— Sales gosses !

Les cinq enfants s'assoient sur le bord de l'allée. Richard commence à sangloter.

— Un peu de courage, Richard, lui dit Claude. Ça ne sert à rien de pleurer.

— Je regrette, répond Richard, en reniflant. Je n'y peux rien.

— Si, tu y peux quelque chose, intervient François. Regarde, Mick n'a pas versé une seule larme, lui.

Richard s'essuie les yeux.

— Vous avez raison. Je vais essayer d'être comme vous, dit-il d'une voix sourde. Vous êtes tellement courageux. Je n'ai jamais eu des amis comme vous, jamais.

— Eh bien, on verra, répond François d'un ton incrédule. Mais, en attendant, arrête de pleurer. On va réfléchir tous ensemble à la situation.

Richard obéit, et François se tourne vers les autres.

— C'est rageant ! s'écrie-il. Juste au moment où on allait partir ! Je suppose que, maintenant, ils vont nous enfermer dans une pièce où ils nous garderont jusqu'à ce qu'ils aient fini leur « boulot ». Je me demande si ce « boulot » ne serait pas lié à l'homme caché derrière la bibliothèque.

— Les parents de Richard vont peut-être finir par mettre les gendarmes au courant de la disparition de leur fils..., dit Claude en caressant Dago, qui ne cesse de lui lécher les mains, tellement il est heureux de l'avoir retrouvée.

— Sûrement. Mais à quoi ça servira ? demande François. Personne ne se doute de l'endroit où on se trouve. Quant à tante Cécile, elle ne s'inquiétera pas, elle nous croit en randonnée.

— Vous croyez que ces hommes vont vraiment m'emmener avec eux en partant ? questionne Richard.

— Espérons que, d'ici là, on aura tous réussi à s'échapper, répond François qui ne peut guère donner à Richard que ce faible encouragement.

— Mais comment est-ce qu'on pourrait quitter cet endroit ? demande Annie. On ne pourra jamais franchir des murs si hauts.

— Regardez, voilà Margot, l'interrompt soudain Claude en entendant que Dagobert s'est mis à gronder.

Les enfants tournent la tête. Oui, Margot s'avance rapidement le long de l'allée. Elle se dirige vers les enfants.

— J'ai un message pour vous, dit-elle. Vous pouvez rester dans le parc toute la journée. Si vous préférez rentrer dans la maison, sachez que vous resterez enfermés dans une des pièces.

Elle jette un regard prudent autour d'elle et baisse la voix.

— Je regrette que vous n'ayez pas pu partir. Ce n'est déjà pas drôle pour une vieille femme de rester ici avec tous ces hommes. Mais bon, moi, ça fait vingt ans que je travaille ici. Je me suis habituée à ce qu'il se passe des choses un peu bizarres. Tant qu'ils ne me mêlent pas à leurs histoires, ça m'est égal... Enfin, c'est terrible pour des enfants, de rester ici. Surtout que vous êtes bien élevés et gentils.

— Merci, dit François. Puisque vous nous trouvez si mignons, dites-nous s'il y a un autre moyen de sortir d'ici que par le portail.

— Non, il n'y en a aucun, dit la cuisinière. Cet endroit est comme une prison, une fois que la grille est fermée.

Personne ne répond. Margot regarde furtivement par-dessus son épaule comme si elle craignait qu'on ne l'entende et elle reprend à voix basse :

— M. Bertaud m'a dit de vous donner le strict minimum à manger. Et il a dit à La Bosse de donner au chien de la viande empoisonnée. Alors, ne le laissez manger que ce que j'apporterai moi-même.

— Ce type est un monstre ! s'écrie Claude en serrant Dagobert contre elle. Tu as entendu, Dago ? Dommage que tu n'aies pas mordu M. Bertaud aussi !

— Chut ! fait Margot d'un ton inquiet. Je n'aurais pas dû vous dire tout ça, vous le savez, mais vous avez été gentils avec moi... Maintenant, écoutez. Vous feriez mieux de rester dans le parc. Si vous êtes enfermés dans l'une des chambres, je ne pourrai pas vous apporter plus de nourriture que ce qu'autorise M. Bertaud, parce que Julot me verra monter l'escalier avec le plateau. Tandis que si vous êtes dehors, je pourrai vous faire passer des repas plus copieux.

— De toute façon, on préfère rester à l'extérieur, répond Annie. Merci pour votre aide.

— Je vous en prie, termine Margot avec un léger sourire. Seulement, attention à ce que le

chien ne mange rien de ce que La Bosse lui donnera !

Une voix s'élève de la maison. Margot incline la tête et écoute.

— C'est La Bosse, dit-elle. Je dois y aller.

Elle remonte l'allée à toutes jambes.

— Alors comme ça, dit François, ils s'imaginent qu'ils vont empoisonner ce vieux Dagobert ? Mais c'est raté, hein, Dago ?

— Ouah ! fait gravement le chien.

Toutefois, il ne remue pas la queue.

chapitre 16

Margot... et La Bosse

— J'ai besoin de me dégourdir les jambes, déclare Claude quand Margot est partie. Si on explorait le parc ? On trouvera peut-être quelque chose d'intéressant ?

Les enfants approuvent : ils sont heureux d'avoir une activité qui les empêche de penser à leur situation. Qui aurait cru, hier, lorsqu'ils pédalaient joyeusement dans la campagne ensoleillée, qu'aujourd'hui ils seraient prisonniers ? Décidément, la vie est pleine d'imprévus.

— Je voudrais bien savoir qui était cet homme que tu as vu dans la chambre secrète, François..., dit Mick.

— J'ai l'impression que même le bossu et Margot ne doivent pas savoir que ce type est

là, répond François. Il ne peut s'agir que d'un bandit en cavale...

— Je voudrais tellement qu'on sorte d'ici ! s'exclame Claude. Je déteste cet endroit, il me fait peur. Et qui sait si ces hommes ne réussiront pas à empoisonner Dago.

— Ne t'inquiète pas, on y veillera, la rassure Mick. On lui donnera la moitié de tout ce qu'on nous sert à manger, hein, Dago ?

Le chien approuve en aboyant et en remuant énergiquement la queue. Il reste près de Claude.

— Eh bien, on a fait tout le tour du domaine, mais on n'a rien vu d'intéressant, conclut François lorsqu'ils sont revenus près de la maison. Tiens... voilà La Bosse ! Il met une écuelle par terre pour Dago !

Depuis le perron, l'homme crie :

— Voilà la pâtée du chien !

— Ne dis rien, Claude, murmure François. On va faire semblant de laisser Dago manger, mais, en réalité, on va tout jeter dans un coin... La Bosse sera bien étonné de voir Dago en vie demain matin !

La Bosse rentre dans la maison. Annie lâche un petit rire.

— Je sais ! On racontera que Dago n'a pas voulu manger toute sa gamelle et qu'on a donné les restes aux poules ! dit-elle.

— Et La Bosse sera complètement affolé parce qu'il croira que les volailles vont mourir, poursuit Claude. Venez voir cette pâtée.

Elle va ramasser l'écuelle. Dago la renifle et détourne la tête. Même si les enfants lui avaient proposé de manger la viande, il n'y aurait pas touché. C'est vraiment un chien *très* intelligent !

— Vite, prends cette bêche, Mick, et creuse un trou avant que La Bosse ne revienne, ordonne Claude.

Mick se met au travail. Il lui faut moins d'une minute pour forer la terre molle d'une plate-bande. Claude y jette la pâtée, essuie l'écuelle avec des feuilles et Mick remet de la terre sur le trou. Comme ça, aucune bête ne pourra manger cette nourriture empoisonnée.

— Maintenant, si on allait dans la basse-cour. Quand on verra La Bosse, on lui fera signe, suggère François, enchanté de pouvoir donner une bonne leçon à ce sinistre individu.

Ils se dirigent vers la basse-cour qu'entoure un grillage. Quand le bossu s'approche, ils lui adressent de grands gestes. Claude prend l'écuelle, et fait semblant de jeter son contenu aux poules. La Bosse s'arrête une seconde pour la regarder. Puis il accourt en criant :

— Arrête tout de suite ! Ne fais pas ça !

— Qu'est-ce qu'il y a ? demande Claude d'un ton innocent. Ça vous ennuie que je nourrisse les poules ?

— C'est la gamelle que j'avais donnée pour le chien ?

— Oui.

— Et il n'a pas tout mangé ? Alors, tu donnes les restes à mes poules ? hurle le bossu, en arrachant l'écuelle des mains de Claude.

Celle-ci fait mine de se mettre en colère.

— Mais pourquoi les poules ne peuvent-elles pas manger la même chose que Dago ? La pâtée a l'air très bonne.

Le bossu regarde le poulailler et pousse un grognement. Les poules picorent tout près du grillage, et on croirait vraiment qu'elles mangent ce que Claude vient de leur jeter. La Bosse est sûr que tous les volatiles seront morts le lendemain, un vrai carnage ! Il adresse à Claude un regard foudroyant.

— Tu n'es qu'un idiot ! Donner cette pâtée à mes poules ! Tu mériterais une bonne raclée !

Il prend Claude pour un garçon, naturellement. Les autres enfants contemplent la scène avec amusement. Ils sont très contents que le bossu s'inquiète tant pour ses poules ! Ça lui apprendra à vouloir empoisonner Dago, même si c'est M. Bertaud qui le lui a ordonné !

L'homme semble complètement déboussolé. Finalement, il prend un balai dans un appentis voisin et entre dans le poulailler. Il a évidemment décidé de nettoyer celui-ci, au cas où des morceaux de nourriture empoisonnée y resteraient encore. Il balaie laborieusement, sous l'œil des enfants, ravis de leur vengeance.

— Je n'ai encore jamais vu quelqu'un se donner autant de mal pour balayer un poulailler ! observe Mick d'une voix sonore.

— Moi non plus, renchérit aussitôt Claude. Il les gâte ses poules, vraiment !

Puis Mick ajoute, d'une voix suffisamment forte pour être sûr que La Bosse entende chaque mot :

— C'est bizarre qu'il soit si fâché parce que tu as donné à ses poules le reste de la pâtée de Dago.

— En effet, poursuit Claude. C'est même *très* louche !

La Bosse s'arrête de balayer et fronce les sourcils.

— Décampez, sales gosses ! dit-il en levant son balai d'un air menaçant.

— Il a l'air d'une poule en colère ! fait observer Annie avec un large sourire.

— Il va peut-être se mettre à glousser, conti-

nue Richard, et les autres rient. Le bossu, furieux, court ouvrir la porte du poulailler.

— Mais, j'y pense ! s'écrie François, d'une voix insistante. Il a dû mettre du poison dans la pâtée de Dago ! C'est pour ça qu'il s'inquiète tant pour ses poules ! Ça me rappelle l'histoire de l'arroseur arrosé !

Au mot de « poison », le bossu cesse de courir. Il va même jeter le balai dans l'appentis et se dirige sans un mot vers la maison.

— Et voilà... on s'est bien vengés ! conclut François.

— Margot nous appelle, dit soudain Richard. Peut-être qu'elle nous apporte notre repas.

— Je l'espère ! murmure Mick. Je commence à avoir terriblement faim.

Sur le rebord de la fenêtre se trouve une miche de pain rassis et un morceau de fromage jaune, très dur. Rien d'autre. Le bossu qui les observe depuis le perron ricane.

— Margot a dit que c'était votre déjeuner, lance-t-il tout en s'asseyant devant une énorme platée de viande et de pommes de terre bien dorées.

— Il se venge de la peur qu'on lui a faite, murmure Claude.

— Je m'attendais à mieux que ça de la part

de Margot, lâche Richard en contemplant le maigre repas.

La cuisinière sort à ce moment-là de la maison, portant une corbeille qui semble déborder de draps humides.

— Je vais aller étendre le linge, La Bosse, crie-t-elle. Je reviens tout de suite.

Elle se tourne ensuite vers les enfants et leur fait un clin d'œil.

— Votre déjeuner est sur le rebord de la fenêtre, dit-elle d'un voix sèche et suffisamment sonore pour que La Bosse puisse l'entendre. Prenez-le et allez manger dans le jardin. On ne veut pas de vous dans la cuisine.

Mais elle a un petit sourire et désigne de la tête le panier qu'elle tient dans ses bras. Les enfants comprennent tout de suite : leur vrai déjeuner est dedans ! Ils prennent le pain et le fromage et suivent Margot. La corde à linge se trouve derrière le poulailler, tendue entre deux arbres. La cuisinière pose le panier à terre.

— Finalement, je m'occuperai de mon linge plus tard. Il y en a tellement que je ne suis même pas sûre de pouvoir tout étendre en même temps. Ça fait une semaine que M. Bertaud me donne deux fois plus d'habits à laver..., dit-elle, et, avec un nouveau sourire qui transforme son visage, elle retourne vers la maison.

François soulève le torchon qui recouvre le panier.

— Regardez-moi ça ! s'exclame-t-il.

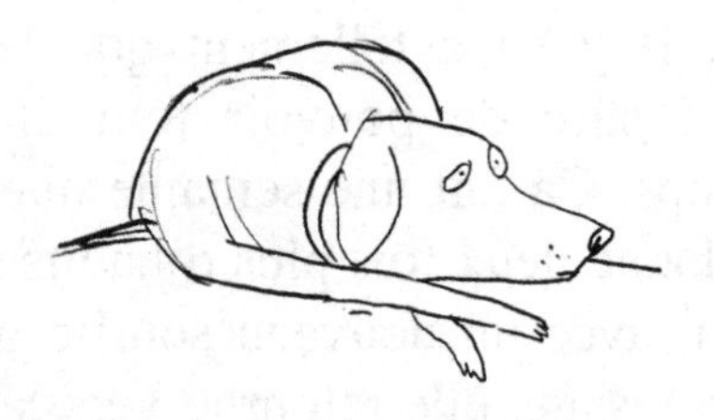

chapitre 17

François a une idée de génie

Margot a mis des couverts et des assiettes au fond du panier. Il contient aussi deux grandes bouteilles de lait, un gros poulet rôti, un assortiment de biscuits et des oranges. Margot a été vraiment généreuse ! Les enfants retirent rapidement les provisions du panier et les transportent derrière les buissons. Ils s'assoient et commencent à déjeuner. Tout est très bon. Dago a une cuisse de poulet et des biscuits. Il engloutit aussi le fromage et le pain rassis ! Margot revient une demi-heure plus tard. Les enfants s'approchent d'elle et lui parlent à voix basse.

— Merci, Margot, c'était vraiment bon !

Elle sourit, reprend le panier et retourne vers

la maison. Tout à coup, Claude aperçoit une scène qui l'intrigue.

— Regardez : La Bosse nettoie la voiture, dit-elle. Je vais passer à côté de lui avec Dago, comme ça il verra alors que le chien est bien en vie.

Elle s'approche de la voiture avec Dagobert qui se met, bien entendu, à grogner férocement en apercevant le bossu. Celui-ci entre dans la voiture en un éclair, et en ferme la portière. Claude se met à rire.

— Bonjour, dit-elle. Vous allez vous promener ? Est-ce que Dago et moi on peut vous accompagner ?

Elle fait mine d'ouvrir la portière. La Bosse se met à crier :

— Va-t'en, avec ton sale chien ! J'ai vu la main de Julot... il a un doigt en compote ! Je ne veux pas que cette bête me morde aussi !

— Emmenez-nous en promenade, insiste Claude, un sourire en coin. Dago adore ça.

— Allez-vous-en ! s'écrie le bossu, tout en se cramponnant à la poignée de la porte. Il faut que cette voiture soit nettoyée avant ce soir. Laissez-moi en sortir et terminer mon travail.

Claude lui adresse un dernier regard narquois et va rejoindre les autres.

— Eh bien, comme ça il a pu voir que Dago

se portait très bien, dit Richard, en riant. Heureusement pour nous ! On serait encore plus en danger si votre chien n'était pas avec nous.

Ils vont s'asseoir sous les arbres.

— Est-ce que La Bosse a dit pourquoi il astiquait la voiture ? demande François.

Claude lui répète les quelques mots du bossu, et François prend un air songeur. Annie comprend qu'il est en train de mijoter un plan.

— François, qu'est-ce que tu as en tête ? demande-t-elle.

— Eh bien, voilà ce que je me disais : d'après La Bosse, cette voiture va sortir ce soir. Ce qui signifie qu'on ouvrira le portail...

— Je vois où tu veux en venir ! poursuit Mick. Il faudrait en profiter pour s'échapper à ce moment !

— Exactement, reprend François. L'un de nous pourrait se cacher dans le coffre, et y resterait jusqu'à ce que la voiture s'arrête quelque part. Et là, il suffira de sortir discrètement et d'aller chercher de l'aide.

Tout le monde le regarde en silence.

— C'est la seule solution ! finit par s'écrier Claude.

Ils discutent longuement de ce projet. Vers l'heure du goûter, ils s'interrompent en voyant Margot arriver avec son panier. Elle leur fait

signe de ne pas s'approcher d'elle, craignant que M. Bertaud ne soit aux aguets. Ils restent donc où ils sont et la voient entrer dans le poulailler. Au bout d'un petit moment, elle en ressort avec un panier plein d'œufs frais et se dirige vers la maison sans jeter le moindre regard aux enfants.

— Je vais voir si elle a déposé quelque chose dans le poulailler, déclare Mick.

Quand il revient, ses poches sont gonflées de bonnes choses ! Margot a laissé une douzaine de sandwichs variés, un gros morceau de clafoutis et une bouteille de lait. Les enfants se cachent derrière des buissons, et Mick vide ses poches.

— Elle a même pensé à un os pour Dago ! dit-il.

Lorsque la nuit commence à tomber, la petite troupe se dirige prudemment vers la voiture. La Bosse a fini de polir la carrosserie. François ouvre le coffre et y jette un coup d'œil. Il pousse un cri de déception.

— C'est trop petit ! Je n'arriverai jamais à me cacher là-dedans, et toi non plus, Mick.

— C'est moi qui irai, dans ce cas, dit Annie à mi-voix.

— Certainement pas, réplique François.

— Eh bien, moi, je vais y aller, déclare Richard, à la grande surprise des autres. J'aurai juste la place.

— *Toi* ? demande Mick.

Richard garde un moment le silence.

— Je sais ce que vous pensez... Vous vous dites que je suis trop froussard pour cette mission. C'est vrai que ça me fait peur. Mais je suis tout de même prêt à me lancer. Et je m'y prendrai de mon mieux.

Tout le monde le regarde avec un air étonné. Cela ne ressemble pas du tout à Richard de faire un acte aussi généreux et aussi courageux.

— Tu sais, dit François, c'est très sérieux ce que tu vas faire là. Je veux dire... si tu commences, il faudra aller jusqu'au bout...

— Oui, je sais, répond Richard. Et je suis sûr que tout ira bien. Si seulement vous me faisiez un peu confiance...

— Jusqu'à maintenant, tu ne nous en as pas tellement donné l'occasion, fait observer Mick.

Après un nouveau silence, François reprend la parole.

— D'accord. C'est toi qui partiras, Richard, si les autres sont d'accord avec moi.

— Dites-moi exactement ce que j'aurai à faire, murmure le jeune garçon, s'efforçant d'empêcher sa voix de trembler.

— Eh bien, une fois que tu seras dans le coffre, on t'y enfermera. Tu devras peut-être attendre un bout de temps. Et quand la voiture sera en route, attends-toi à ce que ce ne soit pas très confortable ! Dès que le moteur s'arrête et que tu entends les hommes en sortir, patiente un peu et puis va directement à la gendarmerie. Raconte toute l'histoire, mais rapidement, et donne l'adresse de l'ancienne auberge... les gendarmes feront le reste. Tu as bien compris ?

— Oui, assure Richard.

— Tu es sûr que tu veux toujours partir, maintenant que tu sais ce que tu risques ? demande Mick.

— Oui, répète Richard.

Annie lui pose amicalement la main sur l'épaule.

— Richard, tu es un chic garçon, dit-elle. Au début, j'avais de sérieux doutes sur toi, et... maintenant je n'en ai plus !

— Allez ! intervient Mick. Maintenant... installe-toi dans le coffre. On ne sait pas à quel moment M. Bertaud va prendre la voiture : on ne peut pas courir le risque qu'il nous trouve ici.

— Oui, je vais m'y mettre tout de suite, répond Richard qui se sent plein de courage

après la preuve d'amitié qu'il vient de recevoir d'Annie.

François ouvre le coffre et l'inspecte.

— Je ne crois pas que Richard puisse l'ouvrir de l'intérieur, commente-t-il. Alors il ne faut pas le fermer complètement. Je vais le maintenir légèrement entrouvert en y mettant un petit morceau de bois. Ça laissera un peu d'air à Richard et il pourra ouvrir le coffre sans difficulté.

Tout à coup, Claude le pousse du coude.

— Vite... j'entends des bruits de pas !

chapitre 18

À la poursuite de Richard !

M. Bertaud se tient dans l'encadrement de la porte d'entrée où sa silhouette se découpe, sur le fond éclairé du hall. Il parle à Julot qui, apparemment, ne compte pas partir avec lui. M. Bertaud doit, semble-t-il, prendre seul la voiture.

— Bonne chance, Richard ! murmure François.

Puis il se cache avec les autres derrière les arbres. Ils demeurent un moment dans l'obscurité, à observer M. Bertaud qui se dirige vers la voiture. L'homme s'installe derrière le volant et claque la portière. C'est une chance qu'il n'ait rien eu à mettre dans le coffre. Le moteur ronfle, et la voiture s'éloigne le long de l'allée. On entend le grondement qui annonce l'ou-

verture du portail. Un instant plus tard, le conducteur klaxonne, ce qui doit être un signal convenu pour dire que le portail peut être refermé. En effet, les enfants entendent les grilles grincer à nouveau et se rabattre. Ils demeurent un moment immobiles et silencieux, songeant à Richard, blotti dans le coffre.

— Je ne l'aurais jamais cru capable de cela, murmure Claude.

— Moi non plus, admet François, songeur.

— Tiens, dit Annie. Voilà Margot qui nous appelle de la cuisine.

Ils s'approchent de la cuisinière.

— Vous pouvez rentrer maintenant, leur dit-elle. Je ne peux pas vous donner grand-chose à manger, parce que La Bosse est là, mais je mettrai des biscuits dans votre chambre, sous les couvertures.

Ils pénètrent dans la cuisine. Margot place silencieusement sur la table les restes d'un gâteau de riz.

— Voilà votre dîner, dit-elle.

Au moment où les enfants terminent ce maigre repas, La Bosse quitte la cuisine, Margot murmure aussitôt :

— J'ai entendu la radio à six heures. Il y a eu un message de la police au sujet de l'un de

vous... Richard. Sa mère a signalé sa disparition.

— Alors, les gendarmes seront bientôt ici, s'écrie Mick.

Margot lui fait signe de parler moins fort.

— Est-ce qu'ils savent où vous êtes ? demande-t-elle, d'un ton surpris.

Mick secoue la tête.

— Pas encore, mais je suppose qu'ils ne vont pas tarder à retrouver notre piste.

Margot semble incrédule.

— On n'a jamais découvert les gens cachés ici, à ma connaissance. Il y a trois semaines, les gendarmes sont venus chercher quelqu'un, et M. Bertaud les a laissés entrer. Il a même paru coopérer. Les gendarmes ont fouillé partout mais ils n'ont rien trouvé.

François donne un coup de coude à son frère. De toute évidence, la personne que cherchaient les gendarmes devait être cachée dans la petite chambre secrète, derrière le panneau mobile. Margot se tait en voyant approcher La Bosse. Celui-ci se tourne vers les enfants.

— Julot veut voir un de vous ; celui qui s'appelle Richard, déclare-t-il avec un sourire inquiétant. Il a dit qu'il voulait lui donner une bonne leçon.

Les quatre enfants sont soulagés de penser

que Richard n'est plus là. Ils se regardent les uns les autres, puis jettent un coup d'œil autour de la pièce.

— Richard ? Quel Richard ?

— Mais... mais il y avait cinq enfants tout à l'heure, et je n'en compte plus que quatre ! s'exclame Margot, ébahie. Je viens juste de m'en apercevoir. C'est Richard qui manque ?

— Ça alors ! Où donc est passé Richard ? demande François, feignant la stupéfaction. Richard ! Où es-tu ?

La Bosse fulmine.

— N'essayez pas de me rouler, grommelle-t-il. L'un de vous doit bien être Richard. Lequel ?

— Aucun de nous n'est Richard, rétorque Mick. Mais, où est-ce qu'il peut bien être ? Tu crois qu'il est resté dans le parc, François ?

— Probablement, répond son frère.

Il va à la fenêtre et l'ouvre en grand.

— Richard ! appelle-t-il. On te demande, Richard !

On entend un bruit de pas précipités dans le hall, et la porte de la cuisine s'ouvre brusquement. Julot est là, les sourcils froncés, la main enveloppée d'un énorme pansement. Avec un aboiement furieux, Dagobert veut se précipiter sur lui. Claude l'en empêche juste à temps.

— Ce sale chien ! J'avais pourtant bien dit à Bertaud qu'il fallait l'empoisonner ! hurle l'ancien garde du corps. Pourquoi est-ce que tu ne m'as pas amené le garçon, La Bosse ?

Le bossu semble terrorisé.

— C'est que... il n'a pas l'air d'être ici, répond-il. À moins que ce ne soit un de ces gosses-là.

Julot jette un regard aux enfants.

— Non... Je ne le vois pas ! Où est Richard ? demande-t-il à François.

— Je viens de l'appeler par la fenêtre, dit le garçon en feignant l'étonnement. C'est drôle. Il a été avec nous toute la journée dans le parc et maintenant il n'est plus là. Vous voulez que j'aille à sa recherche ?

— Je vais l'appeler encore une fois, décide Mick. Richard !

— Taisez-vous ! ordonne Julot. C'est *moi* qui vais aller le chercher !

Julot, muni de sa grosse lampe électrique, quitte la cuisine et se rend dans le jardin. Annie frissonne. Bientôt les enfants l'entendent appeler Richard d'une voix effrayante : il commence à fouiller la propriété.

— Heureusement que Richard est parti dans la voiture, murmure Claude.

— Oui ! L'expression de Julot m'a donné des frissons, ajoute François.

— Eh bien, Richard a été déjà récompensé de son courage, fait observer Annie. Il a évité la « leçon » que Julot voulait lui donner !

François regarde la pendule de la cuisine.

— Regardez... il est presque neuf heures. Il y a un petit poste de radio sur cette étagère. On pourrait l'allumer pour savoir s'il y a un message qui nous concerne ou qui concerne Richard.

Il appuie sur le bouton, et, une ou deux minutes après, les enfants entendent le message suivant :

« On recherche Richard Quentin, disparu de son domicile depuis mercredi. Signalement : âgé de douze ans, mince, les cheveux blonds, les yeux bleus, portant un pantalon gris-bleu et un chandail orange. Probablement à bicyclette. »

Le message se termine par le numéro de téléphone de la gendarmerie.

Une heure plus tard, Julot et les autres reviennent. Ils semblent exaspérés. Le garde du corps se tourne vers François :

— Qu'est-ce qui lui est arrivé à ce garçon ? Tu dois le savoir, toi !

— Grrr ! fait aussitôt Dagobert.

Julot ordonne au jeune garçon de le suivre dans le hall. Il ferme la porte de la cuisine et se met à crier :

— Eh bien... Tu as entendu ce que j'ai dit ? Où est ce gamin ?

— Il n'est pas dans la maison ? interroge François d'un ton innocent.

— Comment veux-tu qu'il y soit ? gronde Julot. Les portes ont été fermées à clé toute la journée, sauf au moment où Bertaud est sorti ! Et Margot et La Bosse jurent que le gosse n'est pas entré dans la cuisine.

— Alors, c'est un mystère, conclut François. Vous voulez que je fouille la maison ? Les autres pourraient m'aider. Peut-être que le chien retrouvera sa trace.

— Je ne veux pas que ce chien sorte de la cuisine, rétorque Julot. Ni lui, ni aucun de vous ! Je suis sûr que ce garçon est caché quelque part, et qu'il se moque de nous... et je suis sûr aussi que tu sais où il est.

— Non, je n'en sais rien, dit François... et c'est la vérité !

— Si je le retrouve, je... je lui...

Julot s'interrompt. Les mots lui manquent pour décrire la punition qu'il infligerait au pauvre Richard... s'il le trouvait !

Il va rejoindre Margot et La Bosse, en grommelant entre ses dents. François est bien content de savoir Richard hors d'atteinte. Mais d'ailleurs, où peut bien être Richard, à présent ? Est-il toujours dans le coffre ?

chapitre 19

Les aventures de Richard

Richard est en train de vivre un périple dont il se souviendra longtemps. Il s'est donc blotti dans le coffre, à côté d'une boîte à outils qui cogne contre ses côtes à chaque virage. Une horrible odeur d'essence lui donne la nausée. La voiture parcourt plusieurs kilomètres. Richard n'a aucune idée de son itinéraire. Au début, il n'entend pas d'autres bruits de moteur, puis il finit par percevoir des vrombissements qui lui indiquent que M. Bertaud s'approche d'une ville. La voiture s'immobilise enfin. Richard tend l'oreille. S'arrête-t-elle à cause d'un feu rouge ou M. Bertaud s'est-il garé pour en descendre ? Dans ce cas, c'est le moment de s'échapper.

Le jeune garçon entend la portière claquer.

M. Bertaud vient de quitter le véhicule ! Richard pousse vigoureusement sur la porte du coffre. Celle-ci s'ouvre d'un coup. Richard jette un regard prudent à l'extérieur. Il se trouve dans une rue sombre. Il étend une jambe pour se laisser glisser à terre, mais il est resté si longtemps recroquevillé qu'il a des crampes. Au lieu de sauter et de filer, le pauvre Richard doit attendre un peu, car ses membres refusent de le porter. Il demeure une demi-minute assis sur le bord du coffre, s'efforçant de les dégourdir. Et c'est alors qu'il entend la voix de M. Bertaud ! Celui-ci descend en courant le perron de la maison devant laquelle il a arrêté la voiture. Richard est pris de peur : il n'avait pas songé que M. Bertaud reviendrait si vite. Le garçon saute à terre, mais, ayant mal pris son élan, il s'étale de tout son long. M. Bertaud l'entend et, croyant que quelqu'un essaie de voler quelque chose dans la voiture, il accourt. Richard se relève juste à temps pour éviter la main qui s'étend vers lui. Il se précipite aussi vite qu'il peut vers l'autre côté de la rue, espérant que ses jambes engourdies ne le lâcheront pas. M. Bertaud court après lui en criant :

— Arrêtez ! Qu'est-ce que vous faisiez dans ma voiture ?

Richard bouscule un passant, sans ralentir. Il

ne doit pas se laisser prendre ! M. Bertaud l'attrape sous un lampadaire, le saisit par le col et le fait tournoyer sur lui-même.

— Laissez-moi ! Laissez-moi ! hurle Richard tout en le bourrant de coups de pied dans les tibias.

M. Bertaud le reconnaît immédiatement.

— C'est lui ! s'exclame-t-il. Le garçon que Julot cherchait ! Qu'est-ce que tu fais là ? Comment est-ce que tu as... ?

Mais, dans un dernier effort désespéré, Richard se dégage des mains de M. Bertaud et prend la fuite. Ses jambes ont retrouvé leur souplesse, et il peut courir plus vite. Il tourne au coin de la rue et se heurte à un jeune homme, mais il continue aussitôt sa course. M. Bertaud prend à son tour le virage et bouscule le même passant. Celui-ci l'attrape par le bras.

— Vous ne pouvez pas faire attention ? Vous êtes la deuxième personne qui me rentre dedans !

M. Bertaud articule quelques mots d'excuse pour se débarrasser du passant. Mais quand il s'élance de nouveau, Richard est hors de vue. M. Bertaud court jusqu'au carrefour et pousse un cri de colère.

— Il m'a échappé, ce sale gosse ! Comment est-ce qu'il est arrivé ici ? Est-ce qu'il se serait

caché dans le coffre ? Mais oui... c'est ça ! Tiens... le revoilà !

M. Bertaud reprend sa course-poursuite. Richard tourne dans une rue, puis une autre... Le pauvre ! Il ne se sent pas l'âme d'un héros, et cette aventure ne l'amuse pas du tout ! Il arrive enfin dans une large avenue... et là, juste en face de lui, il aperçoit un bâtiment sur lequel on peut lire : *Gendarmerie.* À bout de souffle, Richard grimpe les marches et pousse la porte. Il se trouve dans une salle d'attente où un gendarme est assis derrière un bureau. L'agent lève des yeux surpris en voyant l'arrivée précipitée de Richard.

— Eh là... que se passe-t-il ?

Le cœur du jeune garçon bat si fort que, tout d'abord, il ne parvient pas à dire un mot. Puis, il reprend sa respiration et raconte son histoire. Le gendarme l'écoute d'un air stupéfait, puis l'interrompt bientôt pour appeler un gros homme robuste. C'est le brigadier. Il écoute le récit de Richard, en posant de temps en temps des questions. Le garçon commence à être rassuré. Et il se sent très fier de lui-même. Il a réussi !

— Où se trouve cette auberge de la Chouette ? demande le brigadier.

— Ce doit être cette vieille maison en haut

de la colline de la Chouette, répond le gendarme. Vous vous rappelez qu'on y est allés il y a trois semaines pour y chercher Vannier mais qu'on ne l'a pas trouvé ? Le propriétaire de cette ancienne auberge s'appelle Bertaud, je crois.

— C'est ça ! s'écrie Richard. C'est dans la voiture de M. Bertaud que je suis venu...

— Vous connaissez le numéro de la plaque ? demande vivement le brigadier.

— Oui : 320 FC 29.

— Bravo !

Le brigadier prend le téléphone et donne rapidement des instructions pour qu'une voiture de patrouille se mette à la recherche de M. Bertaud.

— Alors, comme ça, vous êtes Richard Quentin, dit-il après avoir raccroché. Votre mère s'inquiète beaucoup pour vous. Nous allons lui téléphoner tout de suite. Vous allez rentrer chez vous dans un véhicule de police.

— Oh ! fait Richard, déçu. Est-ce que je ne pourrais pas vous accompagner à l'auberge de la Chouette ?

— Non, vous n'irez pas. Vous avez eu assez d'émotions comme ça. Vous avez fait preuve de beaucoup de courage, mais maintenant... vous allez rentrer chez vous !

Le compliment touche beaucoup Richard. Pourtant, il aurait bien voulu retourner à l'auberge de la Chouette avec les gendarmes. Mais le brigadier refuse catégoriquement de l'emmener, et Richard reçoit l'ordre d'attendre qu'une voiture de la gendarmerie vienne le chercher. Le téléphone sonne. Le brigadier décroche aussitôt.

— Aucune trace de la voiture noire ? Bon. Merci.

Il se tourne vers son supérieur.

— On ne l'a pas retrouvé. Il a dû retourner là-bas pour prévenir ses complices.

— On arrivera presque en même temps que lui, déclare le gendarme avec un sourire. Notre voiture est sûrement aussi rapide que la sienne.

M. Bertaud a, en effet, pris la fuite dès qu'il a vu Richard monter les marches de la gendarmerie. Il conduit à toute allure, klaxonnant vigoureusement. Il arrive enfin à l'auberge de la Chouette.

— Qu'est-ce qui se passe, Bertaud ? l'interroge Julot, étonné de voir son complice revenir aussi tôt. Quelque chose ne va pas ?

M. Bertaud referme la porte derrière lui.

— Je vais vous dire ce qui s'est passé : ce garçon, Richard Quentin, était caché dans la

voiture... dans le coffre, probablement. Vous ne vous êtes pas aperçu qu'il avait disparu ?

— Bien sûr que si, répond Julot. Vous ne l'avez quand même pas laissé filer, Bertaud ?

— J'ai failli le rattraper, mais il m'a échappé. Et comme il s'est réfugié à la gendarmerie, j'ai jugé plus urgent de revenir vous avertir.

— Les gendarmes vont être ici en un clin d'œil ! s'écrie le garde du corps. Vous êtes un imbécile, Bertaud... vous auriez dû empêcher ce gosse de prendre la fuite ! Voilà notre espoir de rançon qui tombe à l'eau !

— Ce qui est fait est fait, reprend Bertaud. Mais qu'est-ce qu'on va faire de Vannier ? On ne peut pas risquer que la police le trouve, *lui.* Ce type est recherché par tous les services de police. Les journaux n'arrêtent pas de parler de son évasion de prison ! Et nous y sommes mêlés, puisque c'est grâce à nous qu'il s'est échappé ! Si les gendarmes mettent la main sur Vannier, vous retournerez, vous aussi, derrière les barreaux, Julot ! Alors, qu'est-ce qu'on décide ?

— Il faut réfléchir, marmonne l'ancien garde du corps, d'une voix étranglée. Venez dans cette pièce et examinons la situation.

chapitre 20

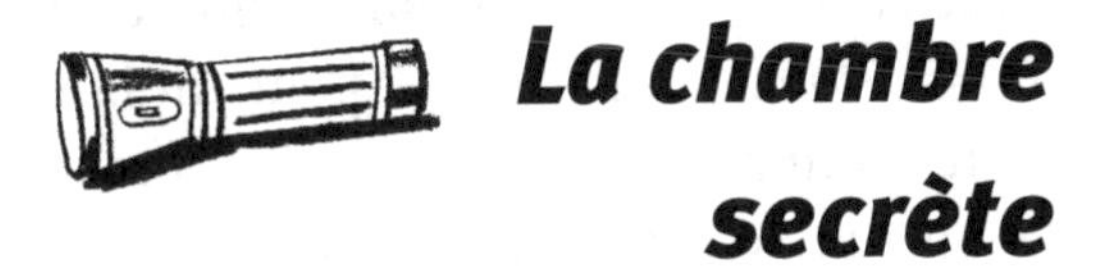

La chambre secrète

Les quatre enfants ont entendu la voiture arriver et le conducteur entrer dans la maison. François s'approche de la porte de la cuisine, dans l'espoir d'en apprendre davantage. M. Bertaud est revenu seul, ce qui doit signifier que Richard a rempli sa mission et qu'il s'est échappé... François entend la conversation agitée qui se déroule dans le hall. C'est sûr ! Richard a réussi son coup ! Il ne faudra certainement pas longtemps pour que les gendarmes arrivent ! Et que de choses surprenantes ils vont découvrir ! Une fois que les hommes sont entrés dans le salon, François s'avance dans le hall. Quels sont leurs plans ? Il tend l'oreille pour écouter ce que les trois malfrats racontent, et ce qu'il apprend l'inquiète.

— Je vais commencer par flanquer une correction à tous ces gosses, grommelle Julot. Le grand... Comment est-ce qu'il s'appelle ? François... c'est lui qui a dû préparer l'évasion de Richard. Je vais lui faire regretter ça !

— Et les *diams,* Julot ? poursuit la voix d'un autre homme. Il faudrait les mettre en sûreté avant l'arrivée des gendarmes.

— Il leur faudra un certain temps pour s'apercevoir qu'ils ne peuvent pas ouvrir le portail, répond l'ancien garde du corps. Et il leur faudra encore plus de temps pour escalader le mur. On va mettre les *diams* dans la chambre où se trouve Vannier.

« Les *diams* ? songe François, tout excité. Ça veut dire les diamants ! Je ne me doutais pas qu'ils en cachaient ici ! Ça alors ! »

— Allez chercher les pierres précieuses et mettez-les en sûreté, dit M. Bertaud.

François, l'entendant se lever de sa chaise, bat vivement en retraite dans la cuisine. M. Bertaud entre et scrute en silence les quatre enfants. Dago se met à grogner.

— Alors comme ça, vous avez monté un petit complot pour faire évader votre copain Richard ? demande-t-il. Eh bien, on va vous mettre tous dehors... et vous vous perdrez pro-

bablement dans cette campagne déserte. Ça vous apprendra !

Personne ne répond. M. Bertaud veut donner une gifle à François, mais celui-ci s'écarte juste à temps. Dagobert fait mine de se précipiter sur son ennemi. Heureusement pour M. Bertaud que Claude tient son chien par le collier !

— Si ce chien était resté un jour de plus ici, je l'aurais tué ! hurle l'homme. Allez, venez tous.

— Au revoir et merci pour tout, glisse Annie à la cuisinière.

Margot regarde les enfants s'éloigner dans le parc sombre. Puis, avec un profond soupir, la cuisinière retourne au linge humide qu'elle a commencé à empiler dans son panier. Les enfants sont à mi-chemin de l'allée lorsqu'ils entendent le bruit de plusieurs moteurs qui se rapprochent de la maison. Puis, à travers les grilles, ils voient apparaître deux voitures rapides et puissantes, aux phares éblouissants. Les gendarmes, sans aucun doute ! M. Bertaud s'arrête, puis il repousse les enfants vers la maison. François et les autres retournent dans la cuisine. La pièce est déserte : Margot et La Bosse sont partis. M. Bertaud reste dans le hall.

— Vous avez mis les *diams* à l'abri ? hurle-t-il soudain.

Une voix lui répond :

— Oui. Vannier les a avec lui.

M. Bertaud pousse un soupir de soulagement. La voix de Julot se fait à nouveau entendre.

— Est-ce que Margot a été prévenue qu'elle ne devait laisser traîner aucun vêtement, ni dans le lave-linge, ni dans son panier, ni sur la corde ?

Les enfants entendent M. Bertaud marmonner d'une voix inquiète :

— Il a raison ! Les gendarmes ne doivent pas trouver le linge, sinon ils sauront que Vannier est ici...

François, qui écoute chaque mot échangé entre Julot et son complice, est très intrigué par ce qu'il vient d'entendre. Tout à coup, il se souvient de la remarque qu'a faite la cuisinière au sujet du linge. « Margot a dit que Bertaud lui donnait deux fois plus d'habits à laver qu'avant. À tous les coups, il prête ses chemises et ses pantalons à Vannier... parce que Vannier n'est autre que le type qu'on a vu l'autre soir en train de jeter ses vêtements dans un vieux puits ! » La voix de Julot résonne dans l'escalier.

— Est-ce que les gosses sont partis ?

— Non... les gendarmes sont arrivés avant, répond M. Bertaud.

Julot pousse un cri effrayant.

— Déjà ? Si j'avais ce Richard sous la main, je l'écorcherais vif. Attendez que j'aie brûlé quelques papiers que la police ne doit pas trouver, et puis je vais aller voir ces gosses. Ils vont payer pour leur copain !

François, qui entend cette conversation, se sent mal à l'aise. « Julot va fouiller la maison de fond en comble s'il a vraiment décidé de se venger sur nous, pense François. Il faut absolument qu'on se cache. » Il entend l'ancien garde du corps descendre l'escalier.

— Margot ! se met à appeler M. Bertaud. Margot !

La cuisinière ne répond pas. Elle a dû se rendre derrière le poulailler pour étendre le linge. M. Bertaud lâche un grognement d'exaspération.

— Restez ici, dit-il aux enfants.

Et il quitte la cuisine. Par la fenêtre, on le voit se diriger vers le poulailler. C'est le moment de se mettre à l'abri ! Il n'y a pas une minute à perdre. Les pas de Julot se rapprochent de plus en plus.

— Vite ! chuchote François à ses compagnons. Par ici !

Soudain, l'ancien garde du corps apparaît : il a l'air hors de lui. Les enfants détalent en un éclair et se précipitent dans le petit atelier. Pris de panique, François rabat la porte de la petite pièce et la ferme à clé. Julot s'est rué sur les pas des enfants. Il les a vus s'engouffrer dans le couloir, mais il ne sait pas dans quelle pièce ils se sont réfugiés. Il essaie chaque poignée d'entrée, jusqu'à celle de l'atelier... qu'il ne parvient pas à tourner !

— Verrouillée ! s'exclame-t-il. Je sais que vous êtes là-dedans !

Il se met alors à marteler la porte, avec tant de violence que les enfants se demandent s'il ne se sert pas d'une chaise. Si c'est le cas, la porte ne résistera certainement pas longtemps !

chapitre 21

Tout est bien qui finit bien

Les cris de Julot et les coups frappés contre la porte terrifient les quatre enfants réfugiés contre le mur opposé. C'est alors que Mick a une idée lumineuse.

— François ? demande-t-il. Ce n'est pas dans cet atelier que tu nous as dit avoir vu la commande du portail ?

— Mais si, je n'y ai même pas pensé ! Elle est juste là, dans ce coin.

Les enfants penchent tous la tête et aperçoivent le volant.

— On peut ouvrir nous-mêmes le portail aux gendarmes ! s'écrie Claude.

François court vers l'appareil et le tourne de toutes ses forces. Un bourdonnement se fait entendre, puis un grincement : les grilles

s'ouvrent ! Julot donne toujours des coups terribles dans la porte. Il a déjà brisé un des panneaux. Mais quand il entend le bruit du portail, il s'arrête, pris de panique. Les gendarmes vont arriver d'une minute à l'autre et le faire prisonnier ! Julot ne pense plus qu'à une chose : se cacher ! L'ancien garde du corps jette la chaise sur le sol et prend la fuite.

— Ouvrez, au nom de la loi ! crie une voix forte à l'extérieur de la maison.

Personne ne vient. François entrebâille la porte de l'atelier et regarde dans le hall : il est vide. Le jeune garçon court vers la porte d'entrée, tire le verrou, défait la lourde chaîne, craignant à chaque instant que les gendarmes n'enfoncent le battant au même moment. Mais ils n'en font rien. Enfin, dès que François a tourné la dernière clé, les gendarmes, au nombre de huit, pénètrent dans le hall. Ils paraissent surpris d'y voir un jeune garçon.

— Qui êtes-vous ? demande le brigadier.

— François Gauthier, monsieur. Je suis bien content de vous voir. Les choses commençaient à mal tourner pour nous.

— Est-ce que vous avez été blessés ?

— Non, ça va. On a surtout eu très peur.

— Vous n'êtes pas avec les autres enfants ?

— Je les ai enfermés dans une pièce de la

maison, pour les mettre à l'abri de Julot et de ses complices.

— Vous avez bien fait. Nous allons les libérer. Où sont les suspects ?

— Je n'en sais rien, répond François.

Le brigadier-chef se retourne vers ses hommes, et ordonne :

— Trouvez-les !

Mais, avant qu'ils aient pu faire un pas, une voix calme et courtoise se fait entendre au fond du hall.

— Puis-je vous demander ce que tout cela signifie ?

C'est M. Bertaud, fumant une cigarette d'un air parfaitement tranquille. Il se tient à l'entrée du salon.

— Depuis quand la police entre-t-elle ainsi chez les gens, sans raison ? demande-t-il.

Le brigadier s'avance dans sa direction et jette un coup d'œil derrière lui.

— Ah ! ah !... Voici notre ami Julot, dit-il calmement en apercevant l'ancien garde du corps appuyé contre la cheminée du salon. Tu es sorti de prison récemment, n'est-ce pas ? Et tu refais déjà des bêtises ! Où est Vannier ?

— Je ne sais pas ce que vous voulez dire, répond Julot d'un ton hargneux. Comment

est-ce que je saurais où il est ? On était en prison, la dernière fois que je l'ai vu.

— Oui, mais tu sais bien qu'il s'est échappé, reprend le brigadier d'un ton sec. Et quelqu'un l'y a aidé. *Quelqu'un* a organisé son évasion, et *quelqu'un* sait où se trouvent les diamants qu'il a volés. Selon moi, Vannier t'a donné ta part du butin pour te remercier de l'avoir fait évader. *Où est Vannier*, Julot ?

— Ni Vannier ni les diamants ne sont ici, répond Bertaud de son ton suave. Vous pouvez les chercher. Je n'ai rien à cacher, je suis innocent. Demandez à vos hommes : ils sont déjà venus il y a trois semaines, et j'ai parfaitement coopéré.

François a écouté ce dialogue avec stupéfaction. Cette auberge de la Chouette est décidément un vrai repaire de voleurs et de bandits ! Il fait un pas en avant et tire doucement sur la manche du brigadier-chef.

— Nous t'écouterons plus tard, mon garçon, dit l'homme en uniforme. Nous avons du travail pour le moment.

— Monsieur, je peux vous faire gagner du temps ! insiste François. Je sais où se trouve le prisonnier évadé... et aussi les diamants !

Julot pousse une exclamation et Bertaud jette à François un regard menaçant.

— Il ne sait rien du tout ! intervient brutalement l'ancien garde du corps. Il n'est arrivé ici qu'hier !

Le brigadier regarde François d'un air grave.

— Tu me dis la vérité ? demande-t-il.

— Voyez vous-mêmes, répond François. Venez avec moi.

Il sort de la pièce, suivi du brigadier et des bandits. Trois gendarmes ferment la marche, derrière Julot et son complice. François les conduit à l'atelier. Le visage de Julot devient écarlate, mais Bertaud lui fait signe de se taire. François ouvre la porte : les quatre autres enfants sont toujours recroquevillés au fond de la pièce. Les gendarmes ont l'air ébahis. François s'avance vers la bibliothèque et commence à retirer les livres du rayon qui dissimule le panneau mobile. Julot poussa un cri et se précipite vers François.

— Arrête ça ! Qu'est-ce que tu fais ?

Les gendarmes écartent immédiatement Julot vers l'arrière. Le jeune garçon tire sur la poignée et le panneau s'ouvre sans bruit sur la chambre secrète... L'homme que François a aperçu endormi la veille est bien là. Il lève la tête vers le groupe de gendarmes.

— Eh bien ! s'écrie le brigadier. Quelle

coïncidence : Vannier ! C'est justement toi qu'on cherchait !

Julot est fou de rage contre François.

— Ce sale gosse ! gronde-il. Ce sale gosse !

— Les diamants, Vannier ? demande le brigadier. Allez, donne-les-moi !

Vannier est livide. D'abord, il ne bronche pas. Puis, se rendant bien compte qu'il n'y a plus d'autre solution, il se baisse et tire un gros sac caché sous le lit étroit. Avant qu'ils sachent ce qui leur arrive, Vannier, Julot et Bertaud sont menottés.

— Un très, très joli butin, commente le brigadier, toujours aimable, en examinant le contenu du sac. Qu'est-il arrivé à tes vêtements de prisonnier, Vannier ? D'ailleurs, ce pantalon et cette chemise ne peuvent pas être à toi : ils ne sont pas du tout à ta taille...

— C'est parce qu'il porte les habits de M. Bertaud ! intervient François. Mais je peux vous dire où sont les siens !

Tout le monde le regarde avec ébahissement, sauf Claude et Annie, qui ont compris.

— Ils sont dans un puits près d'une cabane abandonnée, sur une route qui longe le bois de Guimillau, poursuit le garçon. Je pourrai retrouver l'endroit.

M. Bertaud ne peut en croire ses oreilles.

— Comment est-ce que tu sais ça ? demande-t-il d'un ton furieux.

— Je le sais, réplique François. Et je sais aussi que vous lui avez donné des vêtements à vous et que vous êtes arrivé à la cabane dans votre voiture noire. J'ai tout vu !

— Vous voilà pris au piège, Bertaud ! dit le brigadier d'un air satisfait.

Puis, se tournant vers François :

— C'est bien, mon garçon, tu ferais un bon détective. Je te fais tous mes compliments. Ah ! Encore une question : y a-t-il d'autres personnes dans la maison ?

— Oui, Margot et La Bosse, répond Annie. Mais Margot a été très gentille avec nous, monsieur. La Bosse peut se mettre en colère pour un rien, mais au fond, je ne pense pas qu'il soit méchant. Il se contente d'exécuter les ordres de M. Bertaud.

— Je prends bonne note de ce que vous déclarez, affirme le brigadier.

Il s'adresse ensuite à ses hommes :

— Fouillez la maison, et ramenez-moi La Bosse et Margot. Ils serviront au moins de témoins. Deux d'entre vous vont attendre que le fourgon vienne chercher les deux suspects.

Puis il se tourne vers les enfants.

— Vous rentrez chez vous ce soir ? leur

demande-t-il. Nous allons vous accompagner. Vos parents doivent être morts d'inquiétude !

— Ils sont en voyage, explique Mick. On faisait une randonnée à vélo. Ils ne savent pas ce qui nous est arrivé. Et je me demande où on va passer la nuit...

— Je suis sûr que vous serez accueillis par la mère du jeune Richard Quentin. De toute façon, il faudra que vous restiez dans les parages pendant quelques jours. Nous aurons besoin de vos témoignages à propos de ces bandits.

— J'espère que Mme Quentin sera d'accord pour nous héberger, dit Claude. J'ai tellement envie de revoir Richard pour qu'il nous raconte son périple dans le coffre de M. Bertaud !

Richard attend ses amis devant la porte de la maison de ses parents. Propre et habillé de frais, il fait contraste avec la petite troupe d'enfants sales, aux vêtements fripés, qu'il vient accueillir.

— Ce que j'aurais voulu être là quand les gendarmes ont déboulé chez Bertaud ! s'écrie-t-il. Le brigadier m'a renvoyé chez moi, j'étais furieux. Maman... papa... voici mes camarades.

— Venez dîner, dit M. Quentin. Nous avons préparé un bon repas. Vous devez être affamés.

— Racontez-moi ce qui est arrivé, racontez-le-moi tout de suite ! supplie Richard.

— Il faut d'abord qu'on se lave, dit Annie. On est dégoûtants.

C'est un délice que de prendre un bain bien chaud et d'enfiler des vêtements propres. Claude a droit à un short, et les autres enfants sourient malicieusement en voyant que M. et Mme Quentin la prennent pour un garçon. Claude sourit aussi, mais elle ne dit rien.

— Je vous remercie d'avoir aidé Richard. J'étais furieux contre lui quand j'ai appris qu'il était parti à vélo sans demander la permission, déclare M. Quentin lorsqu'ils sont tous assis à table.

Richard prend un air malheureux et jette un coup d'œil suppliant à ses amis.

— Richard a bien réparé ses bêtises, monsieur, intervient Mick. Il a offert de partir dans le coffre à bagages pour essayer d'aller avertir la police. Il fallait beaucoup de courage, croyez-moi !

Il se penche et donne à Richard une tape amicale. Les autres enfants l'imitent et Dagobert pousse un aboiement approbateur. Richard rougit encore plus, mais cette fois, c'est de plaisir.

— Merci, dit-il gauchement.

— Toute cette histoire aurait quand même pu finir très mal, fait observer M. Quentin.

— Mais elle s'est bien terminée, répond Annie. On peut souffler maintenant.

— Jusqu'à la prochaine aventure ! ajoute Mick en riant. Qu'est-ce que tu en penses, toi, mon vieux Dago ?

— Ouah ! fait le chien en frappant vigoureusement le sol de sa queue. Ouah !

Quels autres mystères le Club des Cinq doit-il résoudre ?

Pour le savoir, regarde vite la page suivante !

● ●

Claude, Dagobert et les autres sont prêts à mener l'enquête

Dans le 6e tome de la série le Club des Cinq,

Le Club des Cinq et le Cirque de l'Étoile

Cet été, les Cinq ont décidé de passer leurs vacances en roulotte. Ils s'installent au bord d'un lac, tout près du camp d'un cirque. Ils se lient rapidement d'amitié avec Pancho et son singe Bimbo. Mais l'oncle de Pancho, Carlos, et son acolyte Dan, ne voient pas l'arrivée des enfants d'un très bon œil...

Découvre tout de suite un extrait !

chapitre 1

Vive les vacances !

— J'adore le début des grandes vacances, dit François. On a l'impression qu'elles ne finiront jamais...

— Et pourtant elles passent tellement vite ! soupire Annie.

— Ouah ! fait une grosse voix.

— Dagobert est d'accord avec toi, Annie ! s'écrie Claude en caressant le gros chien couché par terre.

François, Mick et Annie Gauthier jouent avec leur cousine Claude Dorsel dans un grand jardin ensoleillé. C'est leur troisième jour de liberté. D'habitude, ils passent leurs vacances à Kernach, dans la maison familiale de Claude. Mais cette fois, pour changer, ils se retrouvent tous dans la région de Grenoble. M. et

Mme Gauthier y possèdent une villa où ils viennent se reposer pendant l'été. Cette grande maison, située à flanc de colline, offre une vue splendide sur les montagnes.

François est l'aîné : c'est un garçon grand et robuste. Mick et Claude ont presque le même âge. Cette dernière ressemble plus à un garçon aux cheveux courts et bouclés qu'à une fille. Annie est la plus jeune.

— Papa m'a demandé ce matin si on se plaisait ici et si on voulait rester pendant toutes les vacances, déclare-t-elle. Qu'est-ce que vous en pensez ?

— Claude aimerait peut-être qu'on aille passer quelques jours à Kernach, avance François.

— Non, répond aussitôt sa cousine. Maman m'a prévenue que papa commençait l'une de ses expériences... Vous savez ce que ça veut dire ! Il exige un calme parfait. Si on va chez moi, il faudra éviter de se trouver sur son chemin, marcher sur la pointe des pieds et parler à voix basse...

— Pas marrant d'être la fille d'un savant ! remarque Mick en s'étirant.

— Dans ce cas, c'est très clair : on n'ira pas à Kernach cet été, conclut François. Alors, qu'est-ce qu'on fait ? C'est vrai que c'est agréable ici, mais, je ne sais pas pourquoi, j'aimerais bien partir un peu... à l'aventure...

Claude soupire. Elle partage l'avis de son cousin... Fatigués par la chaleur, ils s'étendent dans l'herbe, à l'ombre d'un cerisier. Quel soleil de plomb cet après-midi ! Ils ne se sentent pas le courage de bouger. Tout autour d'eux se dressent de belles montagnes. Il fait certainement plus frais là-haut. Mais c'est tellement loin...

— Assez, Dago ! dit Annie au chien qui halète et tire la langue. On dirait que tu as couru un marathon. Tu me donnes encore plus chaud !

L'animal pose une patte amicale sur l'estomac de la fillette qui pousse un petit cri.

— Dagobert ! Tu as fini avec tes blagues ?

— Si seulement on pouvait aller loin, franchir les Alpes... soupire Claude, pensive.

Elle mordille un brin d'herbe.

— Vous vous souvenez comme on s'est amusés, quand on était seuls sur l'île de Kernach ? Est-ce qu'on ne pourrait pas aller camper dans la montagne ?

— Mais comment ? demande Mick. On est bien trop jeunes pour avoir le permis de conduire... C'est dommage, d'ailleurs, parce que je suis sûr que je ferais un excellent pilote de course ! On ne va quand même pas partir à vélo ; ce serait trop fatigant, avec toutes ces côtes...

— Et pourquoi pas une randonnée à pied ? propose François après un moment de réflexion.

Sa suggestion est accueillie par un concert de grognements.

— Quoi ! Par cette chaleur ? Tu es fou !

— Bon, eh bien je crois qu'il faudra qu'on reste ici pendant toutes les vacances, rétorque le jeune garçon, un peu vexé. Dans ce cas, je vais faire une petite sieste.

Cinq minutes plus tard, ils dorment tous sous le cerisier, excepté Dagobert. Quand les enfants se reposent, le chien monte toujours la garde. Il s'installe auprès de sa petite maîtresse, Claude, et surveille consciencieusement les alentours. Du jardin, il voit le chemin qui passe devant la maison. On entend un aboiement au loin. Les oreilles de Dagobert se dressent aussitôt. Quelque chose approche. Le brave animal est tellement intrigué qu'il tremble un peu. Tout à coup, il distingue des voitures, des roulottes et des camions qui progressent sur la route, très lentement, dans un vrombissement sourd. Mais quelle est donc cette grosse masse grise qui marche en tête ? C'est un éléphant ! Dagobert n'en a jamais vu de sa vie. L'odeur de cette bête inconnue ne lui plaît pas. Il reconnaît ensuite celle des singes dans leurs cages ; il entend les jappements des chiens savants et leur répond :

— Ouah ! Ouah ! Ouah !

La grosse voix de Dagobert réveille aussitôt les quatre enfants.

— Tais-toi, râle Claude, mécontente. Pourquoi tu fais tant de bruit quand on dort ?

— Ouah ! répète le chien avec obstination, en posant la patte sur le bras de sa jeune maîtresse, comme pour lui dire : « Mais regarde donc ! »

La fillette se redresse et aperçoit le cortège qui défile devant la grille du jardin. Elle appelle les autres aussitôt :

— François ! Mick ! Annie ! Regardez, un cirque qui passe !

Tous trois s'asseyent et se frottent les yeux. Un fauve rugit. Comme elle est mal éveillée, Annie sursaute. Puis elle voit l'éléphant majestueux qui, déjà, s'éloigne sur la route, semblant conduire tout le convoi. Les enfants se lèvent d'un bond et courent jusqu'à la clôture. Ils observent les roulottes, peintes de couleurs vives et tirées par des chevaux. Sur certaines d'entre elles, on peut lire l'inscription suivante : *CIRQUE DE L'ÉTOILE*.

— J'aimerais bien faire partie d'une troupe,

murmure Claude. C'est le genre de vie qui me conviendrait le mieux !

— Tu ne servirais pas à grand-chose, lance Mick, d'un air taquin. Tu ne sais même pas faire la roue !

— Elle n'est pas la seule, fait remarquer Annie. C'est très dur de garder les jambes parfaitement droites.

— Ah oui ? répond son frère. Eh bien regarde ce garçon là-bas !

Mick désigne un petit acrobate qui tourne sur lui-même, en s'appuyant successivement sur les mains et sur les pieds. Lorsqu'il s'arrête, le jeune artiste aperçoit les enfants derrière la grille de leur jardin et, sans hésiter, s'approche d'eux. Aussitôt, deux fox-terriers vifs comme l'éclair se précipitent derrière lui.

Dagobert gronde. Claude le fait taire.

— Dago est toujours très méfiant à l'égard des autres chiens, explique la fillette au nouveau venu.

Celui-ci a un regard étincelant et des cheveux en broussaille. Il sourit et dit d'un air enjoué :

— Ne t'en fais pas, je ne laisserai pas mes chiens dévorer le tien !

— Ha ! Tes chiens minuscules, dévorer Dagobert ? Je voudrais bien voir ça ! répond Claude, d'un ton ironique.

Le jeune inconnu fait claquer ses doigts. Aussitôt, les deux fox-terriers se lèvent sur leurs pattes arrière et commencent à marcher à petits pas hésitants. La scène est hilarante.

— Mais ces chiens sont des génies ! s'émerveille Annie. Ils sont à toi ?

— Oui, tous les deux, répond fièrement le garçon. Lui, c'est Flic, et l'autre, Flac !

— Ouah ! fait Dagobert, visiblement indigné de voir des animaux se déplacer comme des hommes.

— Où est-ce que vous donnez votre prochaine représentation ? demande Claude avec intérêt. On aimerait y assister !

— Pour le moment, la troupe est en vacances, explique le jeune artiste. On connaît un coin dans la montagne avec un lac. Ça s'appelle le lac Vert, à cause de la couleur de l'eau. Comme personne ne campe là-bas, on nous a donné l'autorisation de nous y installer avec nos animaux. On pourra se reposer et s'entraîner pour les prochains spectacles.

— Tu habites dans une de ces roulottes ? questionne François.

— Oui, dans celle qui arrive, répond le garçon, en montrant du doigt une caravane peinte en bleu et rouge. Je vis là-dedans avec mon oncle, qui est le meilleur clown du cirque. Vous le voyez, là-bas ? Il monte le cheval noir !

Toute l'équipe dévisage le cavalier ; il ressemble à tout sauf à un clown ! Son visage est dur et fermé. Il fronce les sourcils en mâchonnant une vieille pipe. Sans jeter un seul regard aux enfants, il appelle son neveu d'une voix sèche :

— Pancho ! Reviens ici tout de suite !

Le nouvel ami du Club des Cinq fait une pirouette et saute dans la roulotte sans protester. Apparemment, il est très obéissant ! Bientôt sa tête brune s'encadre dans la fenêtre.

— Salut ! Peut-être qu'on se reverra ! crie Pancho, en souriant de toutes ses dents.

— Au revoir ! répondent les jeunes vacanciers, qui regrettent de se séparer d'un compagnon si surprenant.

Le défilé se poursuit. Les enfants voient passer un chimpanzé endormi dans le coin d'une cage, une douzaine de chevaux au pelage brillant, deux grands camions qui transportent des bancs, des chaises, des trapèzes, des cordes. On aperçoit même une grande bâche rayée, enroulée sur elle-même : c'est le chapiteau. Puis viennent de nouvelles roulottes : à l'intérieur, on distingue des femmes habillées de tuniques pailletées. Certains artistes marchent à côté, pour se dégourdir les jambes.

Après que le dernier véhicule a disparu, les enfants retournent lentement sous le cerisier au feuillage épais. Ils s'installent en cercle, pensifs, et, tout à coup, Claude lance d'une voix vibrante :

— Je sais ce qu'on va faire ! On va louer une roulotte et partir avec dans les montagnes !

Retrouve toutes les aventures du Club des Cinq en Bibliothèque Rose !

1. Le Club des Cinq et le trésor de l'île

2. Le Club des Cinq et le passage secret

3. Le Club des Cinq contre-attaque

4. Le Club des Cinq en vacances

5. Le Club des Cinq en péril

6. Le Club des Cinq et le cirque de l'Étoile

7. Le Club des Cinq en randonnée

8. Le Club des Cinq pris au piège

9. Le Club des Cinq aux sports d'hiver

10. Le Club des Cin va camper

11. Le Club des Cinq au bord de la mer

12. Le Club des Cinq et le château de Mauclerc

13. Le Club des Cinq joue et gagne

14. La locomotive du Club des Cinq

15. Enlèvement au Club des Cinq

16. Le Club des Cinq et la maison hantée

17. Le Club des Cinq et les papillons

18. Le Club des Cinq et le coffre aux merveilles

19. La boussole du Club des Cinq

20. Le Club des Cinq et le secret du vieux puits

21. Le Club des Cinq en embuscade

22. Les Cinq sont les plus forts

23. Les Cinq au cap des Tempêtes

24. Les Cinq mènent l'enquête

25. Les Cinq à la télévision

26. Les Cinq et les pirates du ciel

27. Les Cinq contre le Masque Noir

28. Les Cinq et le Galion d'or

29. Les Cinq et la statue inca

30. Les Cinq se mettent en quatre

31. Les Cinq et la fortune des Saint-Maur

32. Les Cinq et le rayon Z

33. Les Cinq vendent la peau de l'ours

34. Les Cinq et le portrait volé

L'Étalon Noir

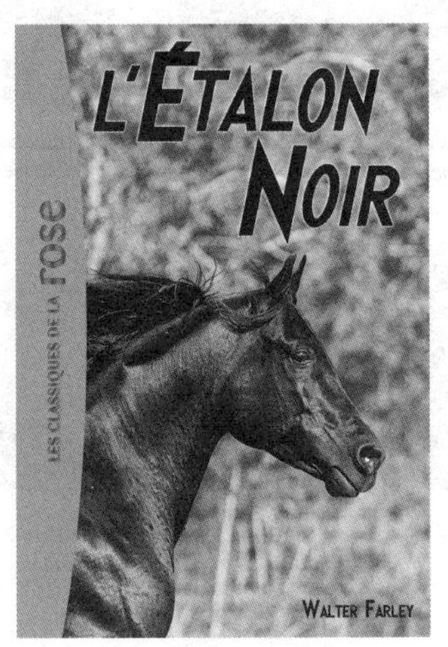

L'Étalon Noir

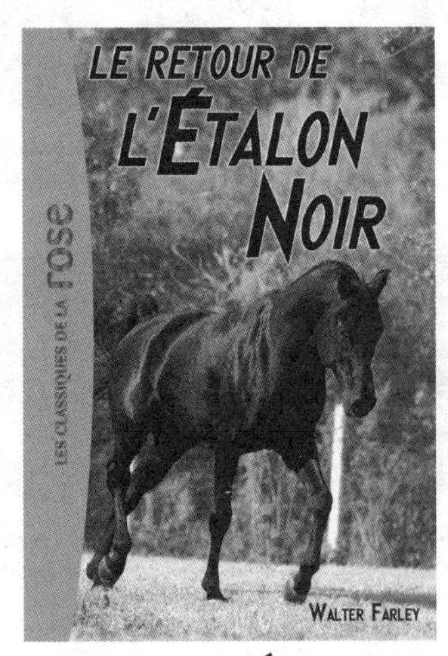

Le retour de l'Étalon Noir

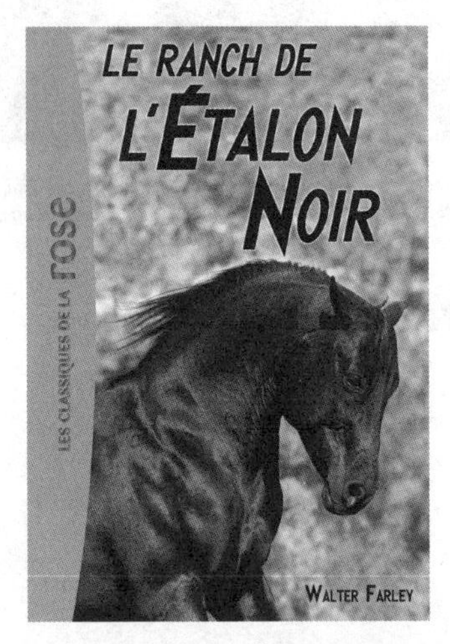

Le ranch de l'Étalon Noir

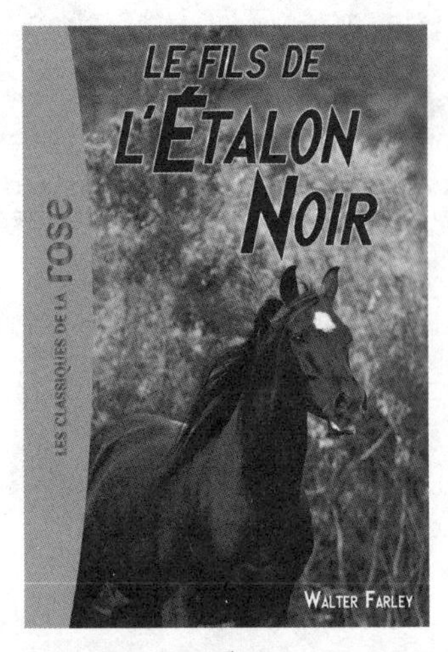

Le fils de l'Étalon Noir

L'empreinte de l'Étalon Noir

La révolte de l'Étalon Noir

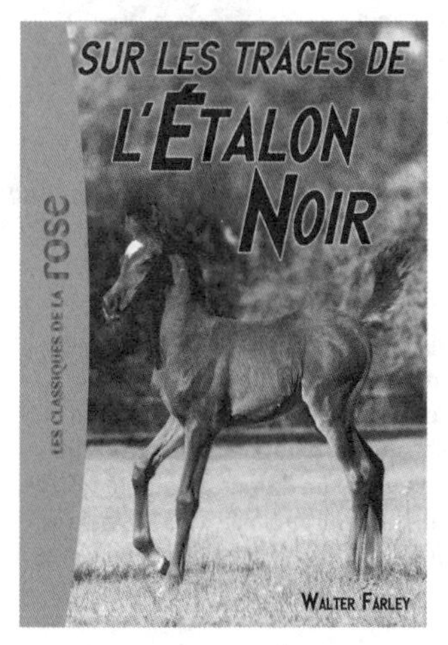

Sur les traces de l'Étalon Noir

Le prestige de l'Étalon Noir

Les Six Compagnons

Pauvre Tidou ! Non seulement il doit déménager à Lyon, mais en plus son père lui interdit d'emmener Kafi, son chien adoré. Heureusement, dès la rentrée, il fait la connaissance des Compagnons de la Croix-Rousse, et la bande décide de l'aider ! Seulement ce n'est pas si simple, de faire venir un chien-loup en secret. Pas sans risques, non plus...

1. Les Six Compagnons de la Croix-Rousse

Cet hiver, les Compagnons partent en classe de neige ! Vive les randonnées et les descentes à ski ! Mais à peine arrivés à Morzine, Tidou et ses amis font une découverte inquiétante : une fillette recroquevillée dans la neige, au pied d'un sapin. Son petit corps est immobile et glacé... Que lui est-il arrivé ? Pour les Compagnons, un seul moyen de le savoir : il faut mener l'enquête !

2. Les Six Compagnons et l'homme des neiges

Les Six Compagnons passent l'été à Valence. Au cours d'une promenade dans un parc, ils font la connaissance d'un sympathique clochard. Mais dès le lendemain, une terrible rumeur envahit la ville : un enfant aurait été enlevé, en pleine nuit... et pour la police, il n'y a aucun doute : le nouvel ami des Six Compagnons est le suspect numéro un !

3. Les Six Compagnons et le mystère du parc

Un accident de voiture, un homme évanoui, et, quelques mètres plus loin, une montre cassée... pourtant le conducteur porte toujours la sienne. Bizarre ! Y avait-il une autre personne à bord ? Les Six Compagnons disposent d'un seul indice : la montre est de marque anglaise. Et si la solution se trouvait à Londres ? La bande n'hésite pas et saute dans le premier avion pour l'Angleterre !

4. Les Six Compagnons à Scotland Yard

5. Les Six Compagnons au village englouti

Quand ils arrivent à Maubrac, où ils ont loué une maison, les Compagnons ont une mauvaise surprise : le lac a été asséché ! Mais, au fond du bassin, ils découvrent les ruines d'un ancien village... Que cachent ces pierres, englouties depuis tant d'années ? Et que cherchent les rôdeurs qui s'y aventurent la nuit ? Pour le savoir, il n'y a qu'une solution : mener l'enquête !

Les Six Compagnons trouvent une bouteille sur la plage normande. À l'intérieur, un inquiétant appel au secours : « S.O.S Saint-Marcouf ». Quelqu'un est en danger, sur une île au large ! Pour les Compagnons, pas d'hésitation : contre vents et marées, ils embarquent pour une nouvelle enquête !

6. Les Six Compagnons et la bouteille à la mer

Table

hachette s'engage pour l'environnement en réduisant l'empreinte carbone de ses livres. Celle de cet exemplaire est de :
550 g éq. CO_2
Rendez-vous sur www.hachette-durable.fr

Photogravure Nord Compo - Villeneuve d'Ascq

Imprimé en Roumanie par G. Canale & C. S.A.
Dépôt légal : juin 2006
Achevé d'imprimer : janvier 2018
20.1176.5/20 – ISBN 978-2-01-201176-2
Loi n° 49956 du 16 juillet 1949
sur les publications destinées à la jeunesse